PLUS-SUM GAME

# プラスサム<br>ゲーム

鹿子木宏明

日本の製造業の
AIによる組織変革と
ゼロサムゲームからの脱却

# はじめに

「ＡＩは手段の1つにすぎない」というのは、日本の製造現場にＡＩを紹介した際によく聞かれる言葉です。これは、日本の製造業がこれまでに培った理論やノウハウが極めてレベルが高いことの裏返しで、ＡＩも既存の様々な技術のうちの1つという認識からくると思われます。

ＡＩが手段であることに間違いはありませんが、例えば、「月に行く時に、ロケットは1つの手段にすぎない」とはあまり言いません。これは、ロケットが月に行く唯一の手段だからで、決定的な意味を持つためです。

本書のテーマは、ＡＩを用いた日本の製造業におけるプラスサムゲームです。プラスサムゲームとはあまり聞きなれない言葉ですが、一方でゼロサムゲームという言葉はよく知られていると思います。

ゼロサムゲームとは、複数の人が相互に影響し合う中で「全員の利得の総和が常にゼロになる」ゲームのことですが、これはある限定されたパイ（例えば利益）をゲームの参加者が奪い合うという状況をいいます。一方プラスサムゲームは、同様に複数の登場人物が影響し合う中で、「全員の利得の総和が増加」し、その結果、各人への利得の配分が増えるウィンウィン（Ｗｉｎ－Ｗｉｎ）の状況を指します。本書に登場するのは、経営、現場、そしてＡＩの3者です。主に論じるのは、経営と現場のプラスサムゲーム、経営とＡＩのプラスサムゲーム、現場とＡＩのプラスサムゲーム、そしてこれらの登場者すべてが参加するプラスサムゲームとなります。

長く日本の製造業に従事している者として感じるのは、経営・現場・技術に関わる人々が投資を巡ってのゼロサムゲームを行っている姿でした。例えば現場が作り出した利益を経営が再分配する、現場が対価を支払い技術を導入する等は、動いた投資と同等あるいはインクリメンタルなリターン効果を生んでいますが、気が付くと、海外のコンペティターと抜き差しならない状況（あるいは押されて徐々に不利な状況に置かれている）になっています。

本書が目指すプラスサムゲームは、海外の製造業コンペティターを抜き去るための方策です。企業内、あるいは国内での競争に勝つことはさておいて、あくまでグローバルでの日本の製造業の非連続な発展をテーマとしています。

もちろん、海外の製造業も世界の覇権を握ろうと必死です。国際競争が激化する中で、とにかく頑張ろうというだけでは世界のコンペティターと同じ土俵で戦うことになり、消耗戦（例えばコスト競争）に陥ってしまいます。消耗戦になると、資源を海外から輸入せざるを得ない日本の製造業の不利な点が際立ち、海外勢を抜き去ることはできません。弱肉強食のグローバル製造業の現実からは目をそらすことができないのです。

しかしながら、戦後の日本の製造業は世界をけん引してきたことも事実です。もちろんいくつかの幸運は重なったにせよ、これは圧倒的な強みを持っていたからに他なりません。ですが、昨今の日本の製造業を取り巻く状況を見ると、例えば少子化による人材不足による技術継承の困難さ、施設の老朽化への対応、ＧＡＦＡ等のプラットフォーマーの台頭、グローバルサプライチェーンの混乱等、いずれも日本の強みをかき消す働きを示しています。

また本書全体を通じて論じますが、日本の過去の成功体験が逆にボトルネックとなり、日本が持つ強みを生かし切れていないのではと感じています。

これらの諸事情については、日本の製造業経営者の方々はほとんど理解されていると思いますし、改めて筆者が指摘することではありません。しかし、ではどうやって日本の製造業の強みを際立たせるかという段階になると、それには多額の設備投資や人材補強という経営に直接影響するような難しい施策の壁に直面し、有効な手が打てないのではないかと思います。シルバーブレット（狼男を1発で倒す銀の弾丸）やエリクサー（賢者の石）を探すようなものだとお考えの方も多いのではないでしょうか。

AIは、日本の製造業の強みを生かすように活用することで、このシルバーブレット、あるいはエリクサーに匹敵すると筆者は考えます。ただし単純にAIを導入するだけでは日本の製造業の強みは生かせず、海外と同じ土俵で戦い続けることになります。

本書では、日本の製造業の強みを生かし、かつ経営上も実行が可能な経営・現場・AIのプラスサムゲームを提案します。その中に含まれるAIという「1つの手段」は、海外のコンペティターを日本の製造業が抜き去るための決定的手段であるということ、そしてその本質を、日本の製造業に携わるすべての人に理解していただきたいと思います。

製造業のDXは、D（デジタル化）とX（人と組織のトランスフォーメーション）の2つの要素からなります。本書でも、前半の第1章から第3章でAIを中心としたデジタル化について、後半の第4章から第7章ではトランスフォーメーションについて述べています。日本の製造業が国際競争力を発揮するためにDとXは両輪です。製造業に携わる経営・現場のすべての方に、DパートとXパートの両方をお読みいただければと思っています。

## D（デジタル化）パート

第1章と第2章では、雲をつかむようで分かりづらいＡＩの知能の本質を、例を使ってなるべく平易に説明し、ＡＩがどのように日本の製造業に貢献できるかを述べます。第3章は経営判断と製造現場のそれぞれに対して、ＡＩ導入で目指す究極の将来像を論じます。

## X（トランスフォーメーション）パート

第4章では、日本の製造業と製造現場に優秀な人材を惹きつけるトランスフォーメーションについて、スクラム製造という考え方を用いて論じます。第5章は、経営と現場の相乗効果を生むための社内組織変革の具体的な方法、第6章と第7章では、国際競争を勝ち抜く品質の高いビジネス提案を社内で作り出すための仕組み作りについて述べます。

本書第2章でご紹介する製造業向けの制御ＡＩは、第52回日本産業技術大賞　内閣総理大臣賞を受賞しました。筆者はその共同開発者の一人です。過去の大賞受賞には「Ｓｕｉｃａ」、「東京スカイツリー」、「ホンダジェット」、「スーパーコンピュータ 富岳」等、日本のものづくり・製造業の強さを示す技術群が並んでいます。その列に、国産の製造業向けＡＩが並んだことは象徴的なことだと思います。ＡＩと日本の製造業のプラスサムゲームが始まったのです。

※参考文献はＰ２６０・Ｐ２６１をご参照ください。

目次

はじめに …… 2

第1章 AIの知能の本質と日本の製造業 …… 15

AIにおける「知能」とは …… 16
AIの「知能」を体感するクイズ …… 18
第3世代AIの持つ「知能」 …… 28
AIとドメイン知識の関係 …… 32
ノーフリーランチ定理 …… 34
AIの歴史と日本の製造業の関わり …… 36
人の能力の一部を超えたAI …… 40
実はAIユーザーが多い日本のAI技術者 …… 42

## 第2章　どのＡＩがどのように日本の製造業に貢献するか ……45

日本の製造業の強みを生かすためのＡＩ分類 ……46
ＡＩ研究がハイスピードで進む理由 ……50
ＡＩによるコントロールの実例 ……80
ＡＩと人間のプラスサムゲーム ……90
強化学習の日本の製造業への適用 ……92

## 第3章　製造業ＡＩによるシンギュラリティ ……97

最適化の対象が変わる日本の製造業経営 ……98
経営判断を迅速化するためのＡＩ導入 ……101

経営計画立案を行うＡＩ ……… 106
人にやさしく誇りを持って働ける製造業現場を目指して ……… 109
工場・プラントのシンギュラリティ ……… 111

## 第4章 スクラム製造による日本の国際競争力 ……… 121

創造性を発揮する製造現場とは ……… 122
現場に日々の生産ノルマだけでなく受注量が示される理由 ……… 127
アジャイルの考え方～経営と現場を結ぶ「受注のグラフ」 ……… 128
フローあるいはゾーンによる集中力 ……… 130
スクラム製造 ……… 134
プラントでのヒューリスティックタスクのＡＩ化 ……… 136
製造現場の保全有識者とＡＩの対話 ……… 141

「人にやさしい品質改善」という考え方 143
環境問題と若者の意識 148
日本のソフトウェア・AI人材のトップとの距離 150
ソフトウェア・AIトップ人材の育成 155
開発・製造部門とAIのプラスサムゲーム 157

## 第5章 経営と現場のプラスサムゲーム

経営と現場のプラスサムゲーム 163
「市場の行きすぎ」にぶつかる日本の製造業 164
補完機能という顧客価値の出現 166
市場を制した者がルールを決める 168
仕組まれた経営と現場の分離 173
現場のグリットと自律性による国際競争力 178

シンセサイザーとチェリーピッカー …… 183
経営と現場のコンバージェンス …… 188

## 第6章 ビジネス提案の品質管理と成功確度

ビジネス提案の品質管理と成功確度 …… 193
ハイリスクハイリターン・ローリスクローリターン …… 194
ビジネス提案の品質管理という考え方 …… 196
4つのトラップ …… 198
4つの回避方法 …… 205
ビジネス成功の確度を高める「計画」 …… 212
PoC死 …… 216
サブスクリプションと成功確度 …… 218
起業家精神の欠如 …… 220

1万時間での人材ローテーション……224

第7章 高速なビジネス提案・事業化・出口戦略……233

ソフトウェア人材の高速ローテーション……234
起業を前提にしたビジネストレーニング……238
社員のグリットを生かすための経営者・現場長のグリット……240
ビジネス提案から事業化に向けて……243
出口計画……246

あとがき……256
参考文献……260

# 第1章

# AIの知能の本質と日本の製造業

PLUS-SUM GAME

## ＡＩにおける「知能」とは

そもそも技術的手段の1つにすぎないＡＩに、日本の製造業をREBORNさせる（生まれ変わらせる）力が果たしてあるのでしょうか？

筆者はもともと物理が専門です。ＡＩは大学院を終了して就職した頃から習得したものですが、長く製造業に従事する中で、ＡＩは日本の製造業の従来の強みを生かすために存在するのではないかと思えてきました。決してＡＩという最新技術ありきというわけではないのですが、その理由を説明する困難さも感じています。そこで、まずはＡＩとは何なのか、何ができるのかということをご説明し、あいまいでつかみどころのない存在のＡＩが、日本の製造業にとって確かに真剣に考える必要のある技術的手段だと腹落ちしていただきたいと思います。

世界の製造業は産業革命以後、様々な物理的、化学的な理論や数式を用いて、新たな製造方法や自動化・効率化を突き詰めてきました。そこにはおびただしいデータの多様な解析方法が含まれます。ＡＩもこうしたデータの分析に使われますが、日本の製造業に従事する方から従来の解析方法とＡＩによる解析方法とでは何が違うのかと質問されることは、筆者の経験でもよくありました。つまり、従来の解析技術の延長を単なる「人工知能」というような仰々しい表現で言い換えただけなのでは、という考え方です。日本の製造業は、これまでに蓄積した様々な理論が強力なため、従来の技術を基準にして新しい技術を評価する考え方は自然です。

実際、ＡＩの発展初期では、「人工知能」という言葉はあまり使われておらず、例えば「集合知プログラミング」（文献Ａ）のような名称で紹介されることが多かったと思います。そもそも「知能」という言葉の定義はあいまいで、ＡＩ技術が知能を持っていると呼ぶのには、いささか抵抗があったということだと思います。

一方海外では、ＡＩと従来方法との差を聞かれたことはあまりありません。従来方法にそれほど確執が無く、むしろ差別化要素をいち早く取り入れたいということかも知れません。むしろＡＩで何ができるようになるのかという質問や、あるいはＡＩに過大な期待を持たれている（つまり、データを入力すれば何でもできる）といった誤解が多かったと記憶しています。この点が、国家単位でのＡＩ導入のスピードに影響した可能性はあります。

このようなことから、本節ではＡＩの名称に含まれている「知能」が何を指しているかを、簡略化された例を用いて説明しようと思います。新しい技術がいかなるものなのかをしっかり理解した上で導入するというのは日本の製造業のスタイルですが、そこは強みでもあるため、本書でも重要な節となります。

## AIの「知能」を体感するクイズ

まず、AIの「知能」が何を指しているかを分かりやすく説明します。人為的データを使った例を提示しますので、まずは「知能とは何であるか」を体感してください。図1（P19）をご覧ください。

図1は、例えば横軸はホットプレートの温度、縦軸は加熱時間とし、できあがったホットケーキが成功したか（●）、失敗したか（×）の多数のサンプルだと考えてください。

ここで問題ですが、図中の星印（★）のところで調理を行った場合、果たしてホットケーキは成功するのか（●）、失敗するのか（×）を考えていただきたいと思います。

急ぎ読み進めたい方も多いと思いますが、ここで立ち止まって考えることは、「知能と

## 図1

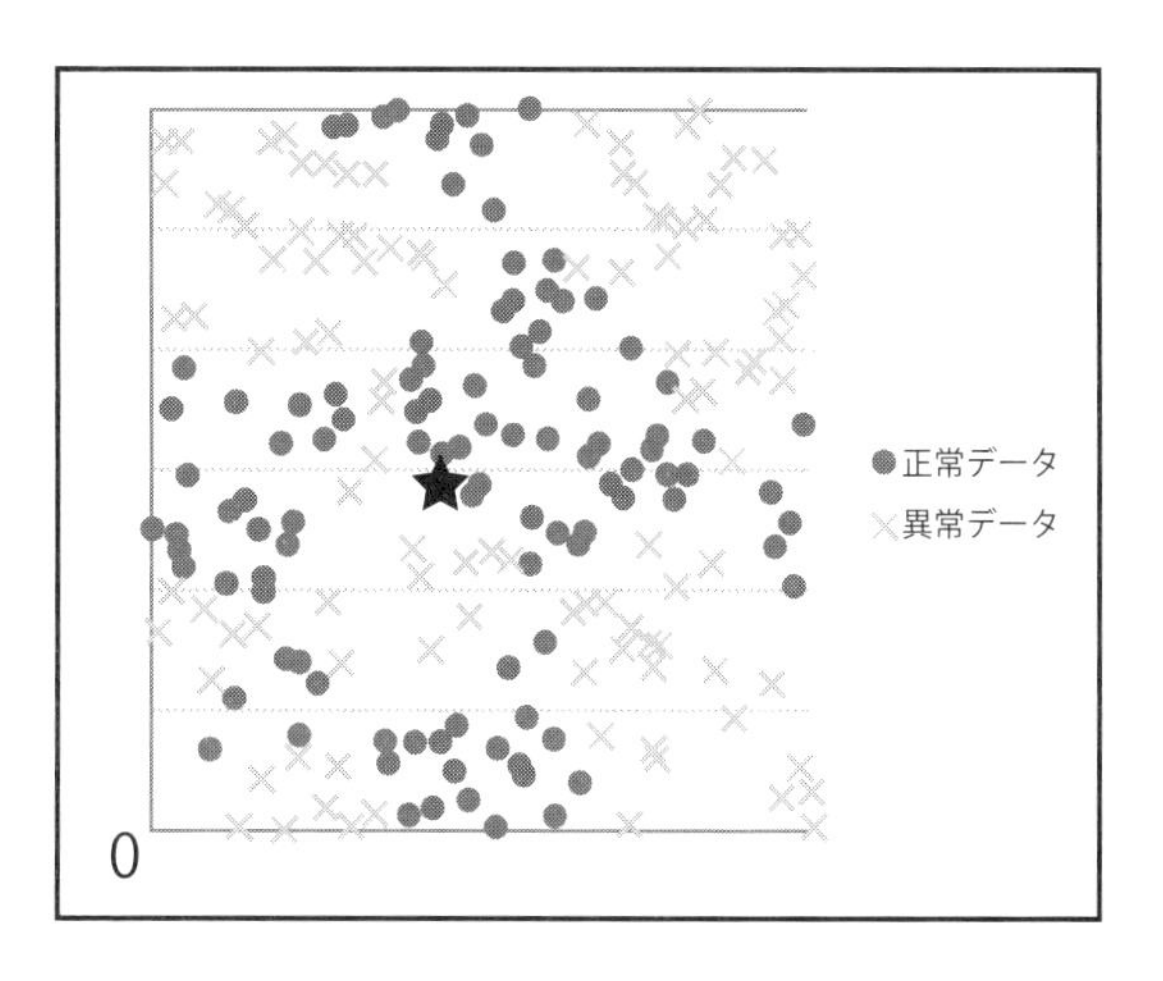

は何か」を体感するとても重要なステップです。勘で構いませんので、数分の時間を使って、ご自分なりの●×の結論を出してください。

●×の結論は出ましたでしょうか？　ちなみにこのクイズはいくつもの講演会で披露し、挙手で答えを聞いて統計を取っていますが、いずれの回も●と×でほぼ半々の結果でした。また●なり×なりの判断根拠を聞くと、ほぼ全員が「勘」と答えています。そういう意味で、なかなか難しい問題といえると思います。

第1問の解答に行く前に、続いて第2問です。図2（P21）の★のところは●でしょうか、×でしょうか。

こちらの問題は簡単だったと思います。×です。

実は、第1問と第2問は同じ問題です。2つのデータを並べたのが図3（P23）となります。

## 図2

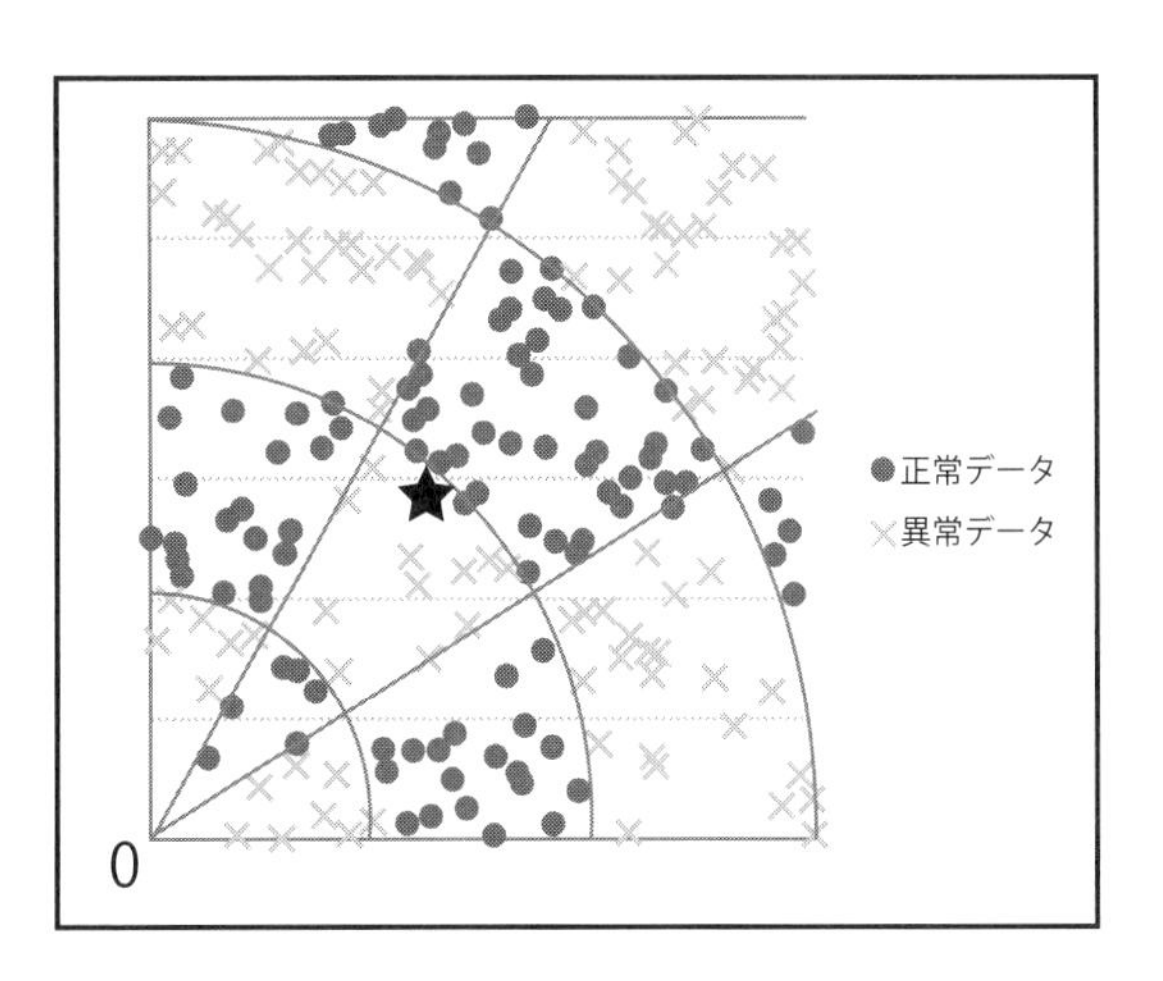

第2問のように、あらかじめ補助線が引いてあれば簡単な問題が、補助線の無い第1問になると難問になります。補助線さえ分かっていれば、どのようなルールによって●×が決まっているかの根拠を持って、正解を導くことができます。

さて、この第1問（補助線無し）を、時間をかけて本気で解いてほしいと人に依頼した場合、何が起こるでしょうか。おそらく中高生以上ですと、いろいろと試行錯誤しながら、定規やコンパスを使って正解の補助線（ルール）を探し出せる可能性があります。考えられる手順としては、

**①データ全体を俯瞰して規則性にあたりをつける**
**②直線あるいは曲線を使って、最もシンプルな補助線を引く（第2問の補助線相当）**
**③補助線を境界と考えて、★の点の判定を行う**

となります。

一方で、小学生以下では答えにたどり着く可能性は低いと思います（定規だけで分類できる問題ならおそらく小学生でもできますが、円弧を使うという発想が難です）。つまり、

# 図3

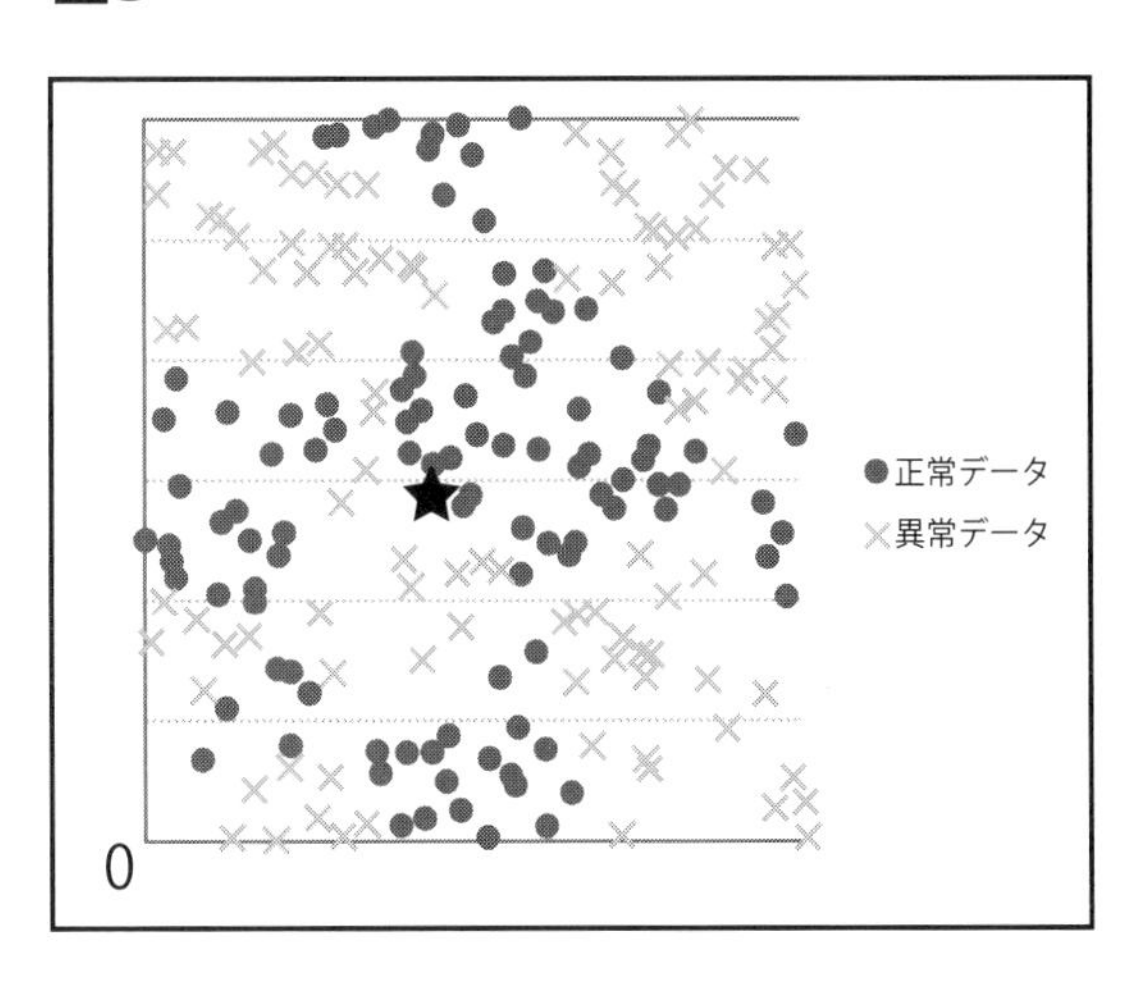


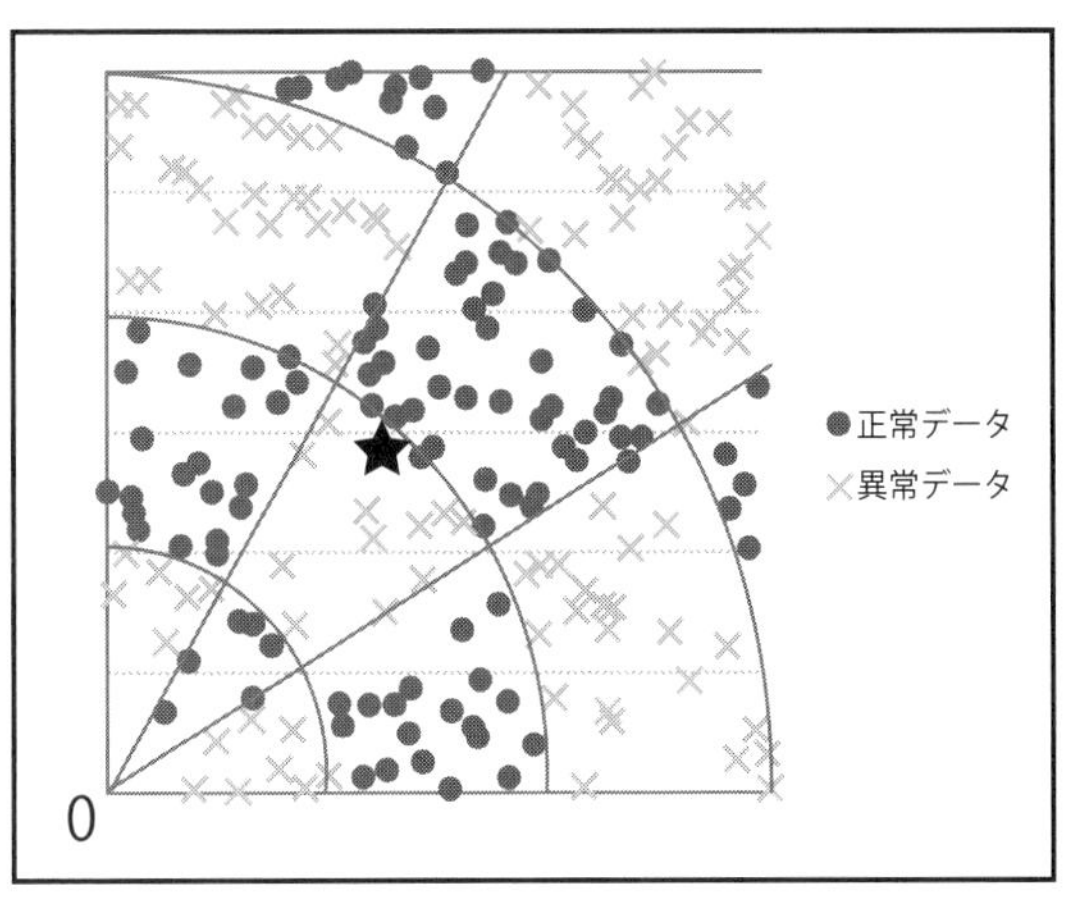

この第1問を解くには、ある種の「知能」が必要ということになります。この様子を端的に表現しますと、次の図4（P25）のようになります。

製造現場で第1問のような品質課題が発生したと仮定します。現場の研究者は必死になって、条件と結果のルールを見つけ出そうとするでしょう。そしてルールの発見に成功すると思います。

では、果たしてAIは、この中高生以上が持つような知能を持っているかどうか、それを見ていきたいと思います。

まず、第1世代・第2世代のAI（2000年代以前）と呼ばれる技術を用いて解析を行った場合、典型的な解析結果は図5（P26）のようになります。

図5のBの絵は、●のデータと×のデータが、第1・第2世代のAIによって色分けされたものです。答えを知っていれば、このBが正解にはほど遠いと見ただけで分かります。また星印（★）の判定（●）に関しても間違った結論を下しています。これは、ニューラルネットワーク技術等によって、離散しているデータとデータの間を滑らかに補完するという、第1世代・第2世代AIの技術を用いた場合の典型的な解析結果です。

## 図4

### AIはどのような知能を持つか

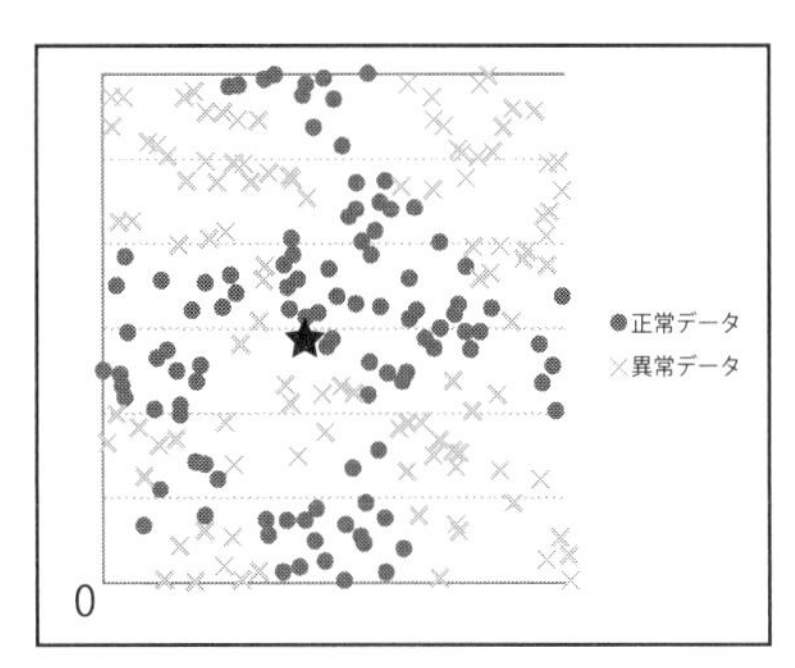

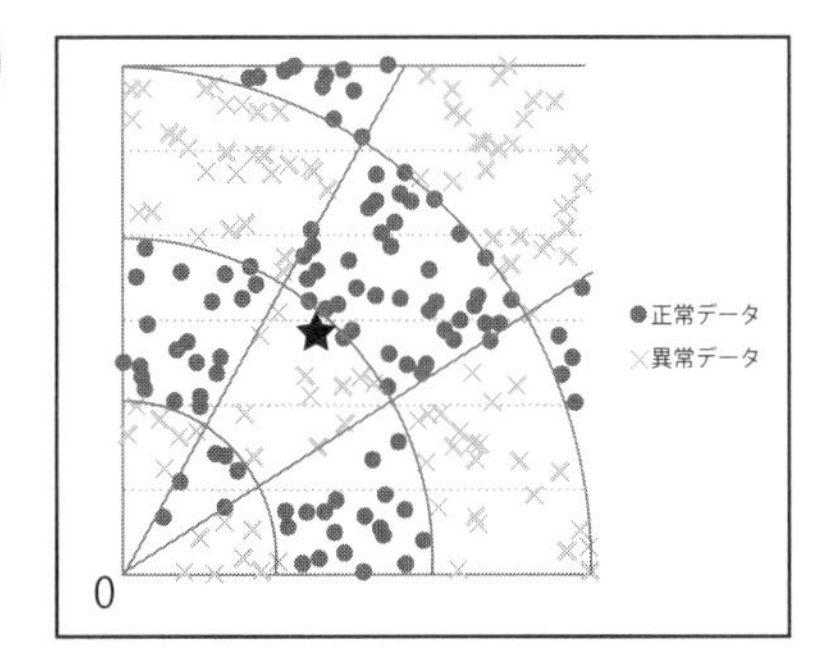


小学生では無理。中高生以上では解く人もいるかも。

➡この問題を正しく解くには、ある種の知能が必要。

AIはこの知能を持つか？

## 図5

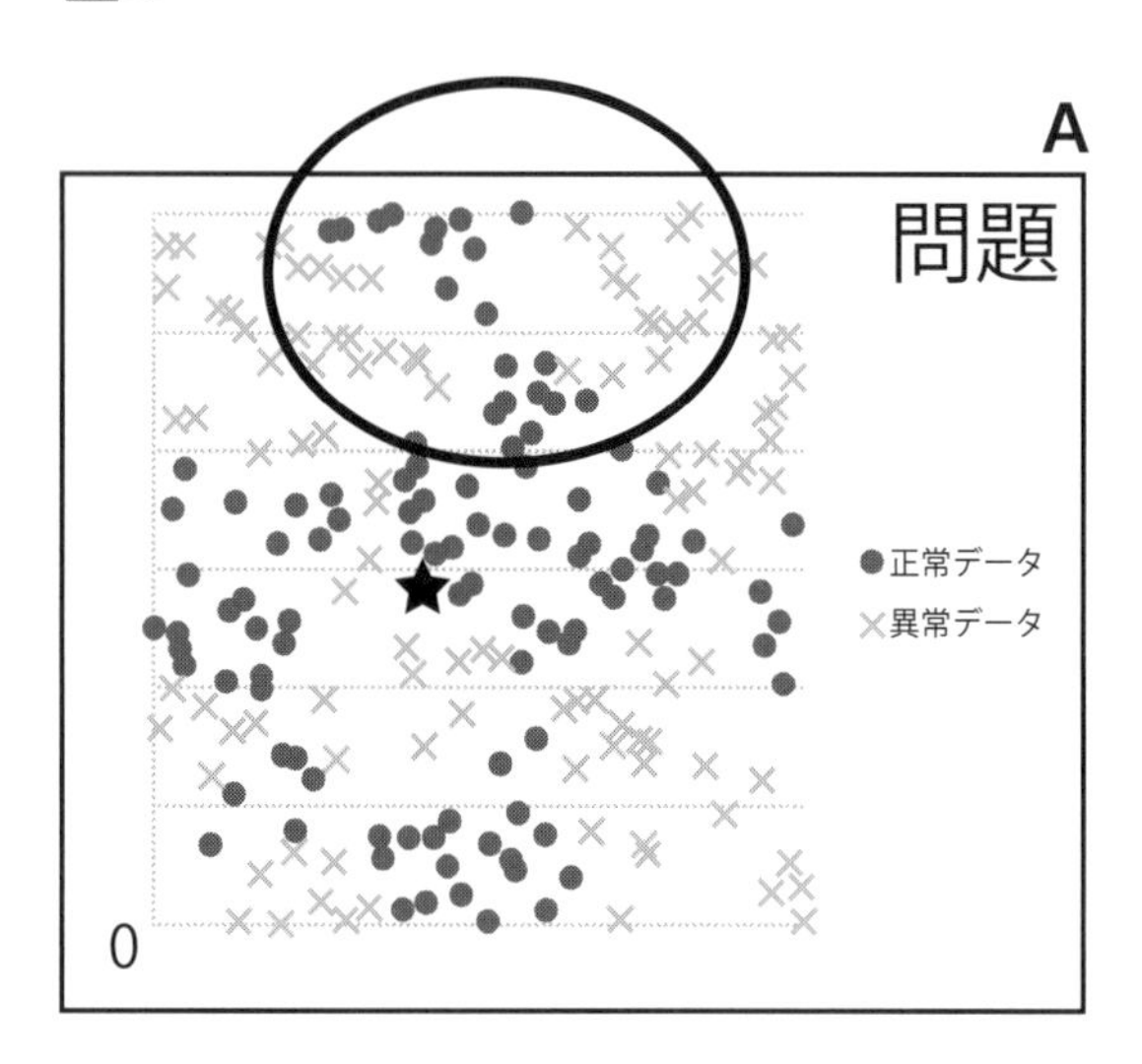


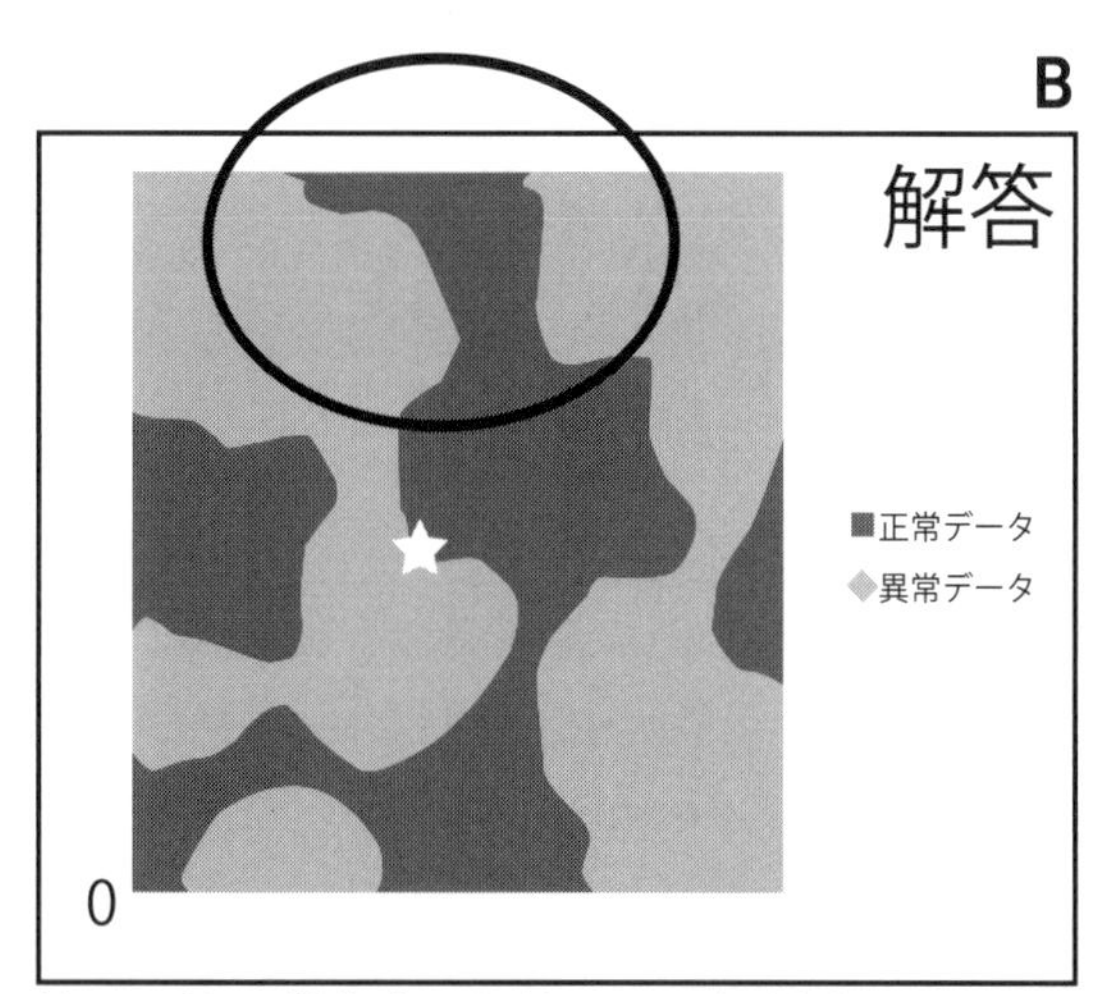


第１・第２世代人工知能による解析結果

例えば幼稚園児にクレヨンを持たせて、図5のAの図を色分けしてごらん、と頼むと、まさにBのような絵になります。つまり、過去の●×データを「それっぽく」塗り分けたものにすぎません。図中の大きな楕円で囲った部分をご覧いただくと、その様子がよく分かると思います。

残念ながら幼稚園児は、全体を俯瞰してシンプルなルールを見つけるといった「知能」は発達していません。ですから、問題の裏にある隠れたルールは発見できず、正解に行き着くことはできないのです。

つまり第1・第2世代のAIと呼ばれるニューラルネットワークは、過去のデータをもれなく説明するような解析はできるものの、データの背後にある本質を見抜く「知能」は無いということです。

とはいえ、ニューラルネットワークに代表される技術は、当時としては画期的なものでした。第1問のような複雑な構造を持つデータに対し、すべてのデータを矛盾なく説明できるような色分け方法、あるいは「モデル」を、データだけから自動で作り出せたためです。こういった能力は「表現力」と呼ばれ、ニューラルネットワークは極めて自由度の高い数式上の表現を自動的に学習・生成できるようになったという意味で大きなブレークスルーだったのは間違いありません。ただしニューラルネットワークは、データの本質を見抜く「知能」を持っていないのは図5のBが示している通りです。つまり、AＩが過去のデータをすべて説明できるということと、AＩがデータから何か本質を発見しているということは、まったく別のことなのです。このことは製造業でのAＩ利用に非常に重要な事実となりますので、本章の後半でもう一度説明します。

## 第3世代AＩの持つ「知能」

では、第3世代のAＩ（2000年代以降）ではどういう解析結果になるでしょうか。図6（Ｐ30）がその結果となります。

Bを見ると、正解の補助線（直線と円弧による分類）をほぼ再現していることが分かります。特に大きく楕円で囲った部分に注目すると、AＩは直線と円弧をクリアに引いていますが、このような色分けをAのデータから行うことは全体のデータ像を把握していないと不可能です。つまり、この問題に対して人間が行うであろう①～③の手順を踏んでいるのが分かります。そして星印（★）の部分の判定も、明確な円弧による境界線によって正しく判定できています。

**問題を正しく解く手順（再掲）**

**①データ全体を俯瞰して規則性にあたりをつける**
**②直線あるいは曲線を使って、最もシンプルな補助線を引く（第2問の補助線相当）**
**③補助線を境界と考えて、★の点の判定を行う**

データ全体を俯瞰して補助線を引くためには、人間でもある種の「知能」が必要だろうということは既に述べました。近年提案された主なＡＩは、この種の「知能」を持つということです。それは、データ全体を俯瞰し、ルールを見つけ出す力といえるでしょう。

前述の例は簡単な２次元の問題でしたが、ＡＩは、例えば30次元といった人間では処理が不可能なデータでも同様の構造探索を行えます。人間には俯瞰できない次元の多変量解析で、人間の持っている俯瞰＋単純化という「知能」を第３世代ＡＩは発揮できることになります。

**図6**

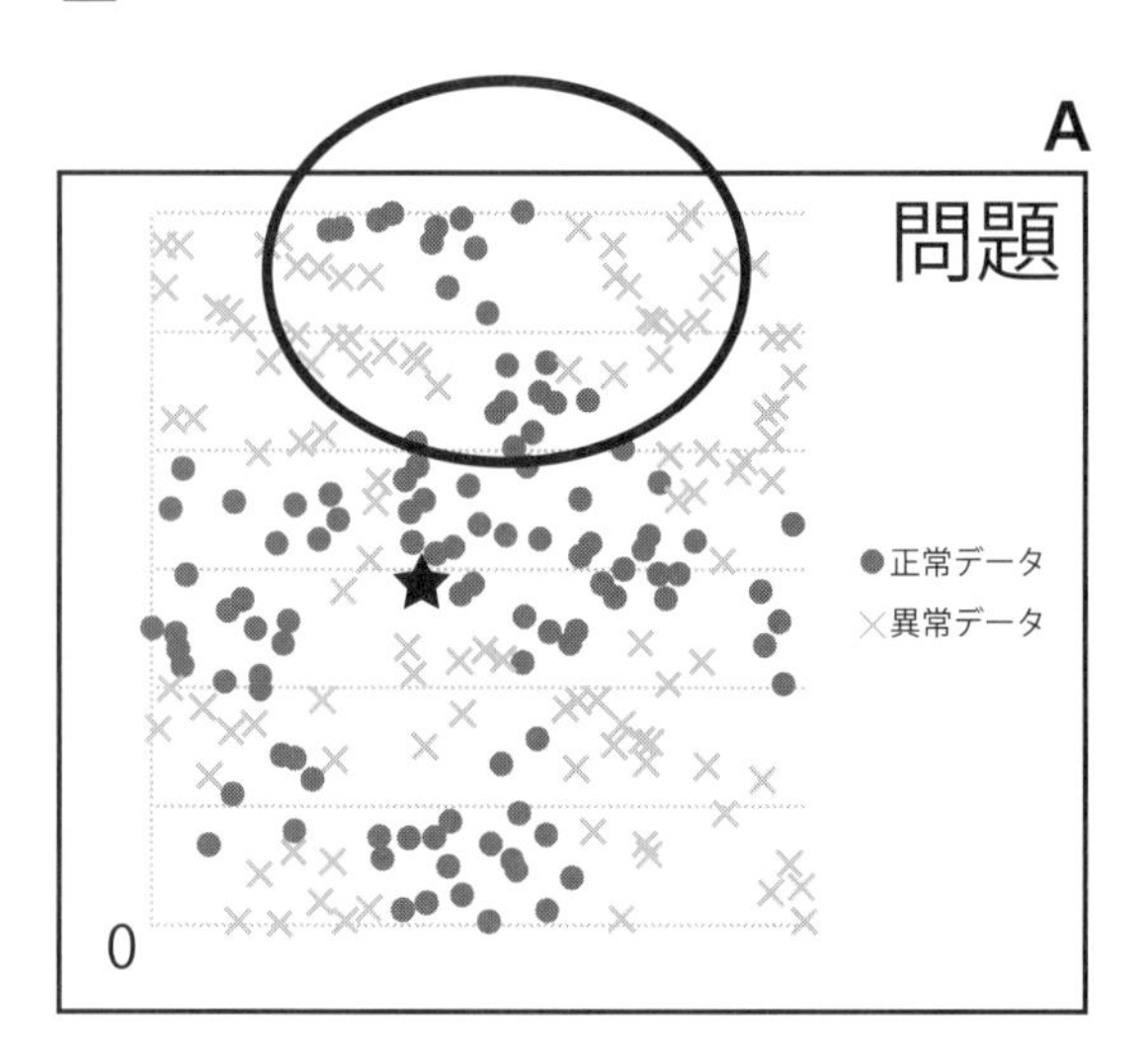


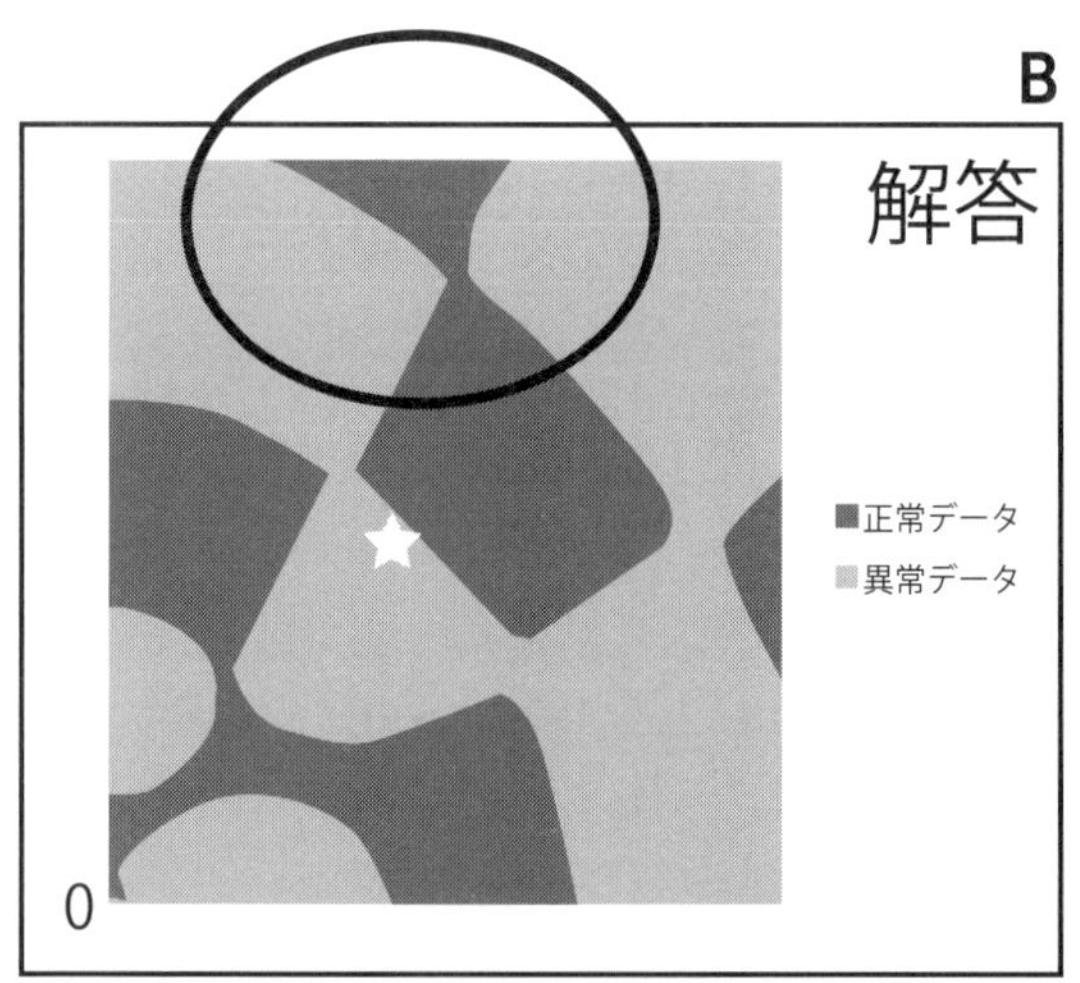


第 3 世代人工知能による解析結果

SFに出てくる人工知能とはだいぶイメージが異なりますし、学術上の「知能」の定義とはかけ離れたものではありますが、データの構造と本質を自律的に捉えるというところが、AIというアルゴリズムが「人工知能」と呼ばれる所以です。

日本の製造業にとってこのAIの能力がなぜ重要なのかは、多少補足が必要と思われます。図2（P21）を見ていただくと分かるように、この問題では判定したい星印（★）が、境界線上のかなり微妙な部分に配置されていました。そのため、ざっくりした従来技術では正しく判定できず、本質を理解したAIによる判定で初めて正しい●×がつけられたのです。技術が発展した日本の製造業において効率改善や品質担保のカギになるのは、こうした境界線に非常に近い「微妙な」条件の判定なのです。逆にいうと、判定したい★が正常データの真ん中にある、誰が見てもすぐに●×が判別できるような分かりやすい課題であれば、何もAIを使う必要もなく、既に現場で解決済みです。

このように、AI（第3世代）の持つ俯瞰的・客観的でシャープな判定能力は、特に高度に発展した日本の製造業にとって正確な状態診断や予知保全等で大変重要な技術といえます。

## AIとドメイン知識の関係

一方で図6（P30）のAI（第3世代）がはじき出した結果は、完璧ではないことも示唆しています。例えば図7（P33）において左下の楕円で囲ったAI判定は、直線や円弧からは外れています。データが少ない部分や偏りがある部分に対しては、AIは間違った別のルールを見つけているのです。

もしもこの問題において、あらかじめ円弧や直線で分類できるという特性が既知であれば、「現場知識」あるいは「ドメイン知識」とも呼ばれる現場の知見を最初から使う（既知の補助線を引く）ほうが格段に正確な診断となります。日本の製造業は「現場知識」あるいは「ドメイン知識」が蓄積されているのが強みですが、それを生かすことができなければ、国際競争力を高める差別化要素を獲得することは難しいでしょう。

日本の製造業の持つ強みであるドメイン知識と、最先端のAIの利用をどのように組み合わせ、利用していくのが良いのか？　これは日本の製造業にとって非常に重要なポイントです。

**図7**

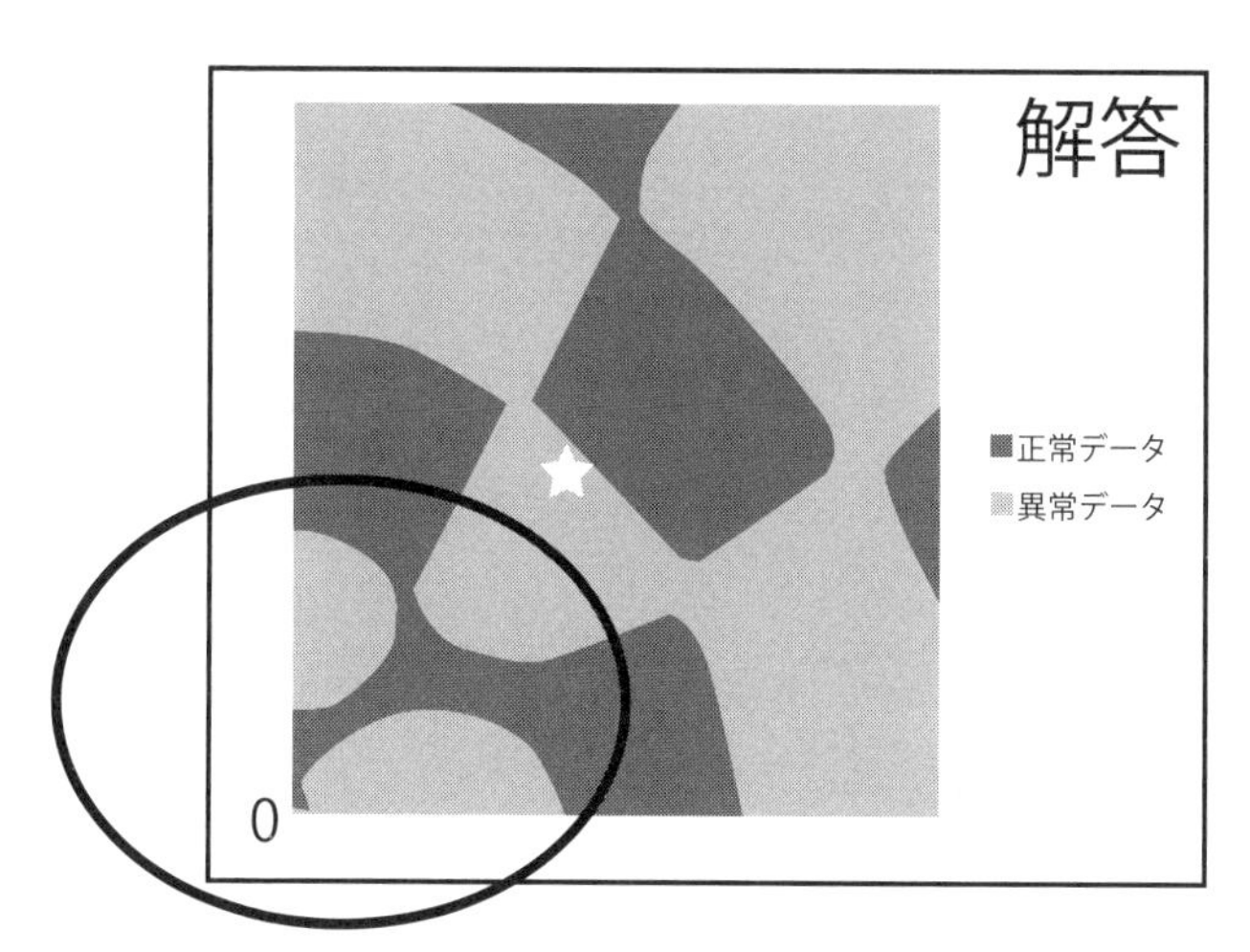


第３世代人工知能による解析結果

図１（Ｐ19）でご説明したホットケーキの品質問題を、ドメイン知識をフルに活用した日本流のやり方で解くと次のようになります。

まず第１問にあるような、現場で答えが見つからないような未解決問題があったとします。これを第３世代ＡＩによって図６（Ｐ30）のように解かせます。この結果を現場の技術者が眺めることで、ＡＩが膨大なデータから見つけ出したルール（この例では良品と不良品がグラフ上の直線と円弧で分けられること）を深く理解することができます。最後に、このルールを全データに適用（ＡＩは使わない）すると、第３世代ＡＩでもうまく推論できなかったデータ部分も、ＡＩより正確な判定が可能になります。これはＡＩと技術者が共同作業をしながら判定精度を高めるやり方の１つ、ＡＩ＋ＨＩ（Human Intelligence）と呼ぶべきもので、特に高度なドメイン知識を持つ日本の製造業技術者には重要なＡＩの活用方法だと考えられます。

## ノーフリーランチ定理

前節で述べたようにＡＩは、特に微妙な判定を必要とするデータ解析に対して有望と考えられますが、一方で「ＡＩを使いさえすれば、何か未知の知見がすぐ得られる」という考え方は広範囲に広まっている誤解です。

ＡＩの判定精度とドメイン知識の間には、「ノーフリーランチ定理」という面白い名前のついた関係があります。

## ノーフリーランチ定理
## 「どんな問題に対しても平均して良い結果を出すAIは存在しない」

言い換えれば「万能のＡＩは無い」あるいは「ＡＩで良い結果を得るためには何らかのドメイン知識を利用する努力が必要」ということです。ＡＩとひと言でいっても、それぞれのＡＩごとに手法や特性がありますし、同一のデータに対しても、うまく判定できる部分とうまく判定できない部分が混在します。

ノーフリーランチ定理は、「解こうとしている問題に適した特性を使わなければ最適解は得られない」ことを証明した数学的な定理で、特に日本の製造業にとっては重要な考え方です。やみくもにＡＩを導入しても効果が得られにくいことは実際によくあることで、大切なのは、日本の製造業の強みである現場の知識をいかにＡＩになじませるか、ということに尽きます。幸か不幸か、ＡＩと人間の共同作業をいかにうまく進めるかについては、まだ決定的な処方箋がありません。従ってドメイン知識とＡＩの能力をいかに融合するか、それこそが日本の製造業が国際的な差別化要素を作れるポイントなのです。

ドメイン知識を活用した既存技術とＡＩの関係は、どちらかが他方のテリトリーを侵略するといったゼロサムゲームではなく、お互いが補完し合って未解決問題を解き、さらに性能を高め合うというプラスサムゲームであるべきです。

## ＡＩの歴史と日本の製造業の関わり

前節で触れた通り、ＡＩは、第1世代ＡＩ、第2世代ＡＩ、そして第3世代ＡＩと3つのブームを迎えました。ＡＩの歴史について述べた文献は多いので本書で詳しく述べませんが、ＡＩは日本の製造業にどのような影響を与えてきたかといったことに絞ってご説明します。詳細は他の文献（B）等を参照ください。

第1次AIブームは1950年代後半～1960年代で、探索と推論に関しての研究でした。この時にニューラルネットワーク（人間の脳を模したモデル）が提案されました。第3次AIブームで登場するディープラーニングはこのニューラルネットワークが原型で、もともとの発想はかなり以前からあったものです。ニューラルネットワークの限界は、前節でご紹介した図5（P26）です。ニューラルネットワークでは、物事（例えば過去のデータ）を説明することはできますがその本質を掴むまでには至らず、何か新しい知見を発見する知能とは呼びにくいわけです。ニューラルネットワークの研究はこの段階で完全に行き詰まりました。

第2次AIブームは1980年代、機械による推論ができないかというエキスパートシステムの研究から始まります。推論の最も簡単な例として、「AはBである」「BはCである」のような知識の集積から、「AはCである」という新しい知識を結論する、というものがあります。実際には、このような単純な例ではなく、もっと複雑で膨大な知識からの推論ですので、当時としては何か新しい「人工知能」が作れるのではないかと期待されました。

しかし、実際の問題に対応させようとすると現実世界は複雑すぎました。特に、すべての事実を矛盾なくコンピュータが理解できる形式の知識として変換・集積することが事実上不可能ということが分かり、ブームは去りました。

また当時、ファジーという技術が日本の製造業を席巻しました。ファジーは、当時全盛だった数式・ロジック中心の理論へのアンチテーゼで、「あいまいさ」を直接扱う技術です。詳細は本書の範囲を超えますが、当時は、日本の製造業からもファジー家電製品が多く登場しました。しかしファジーの効果は、その理論からも予想される通り「あいまい」で、ディープラーニングのようなインパクトは持てず、ブームは下火になりました。なお、ファジー技術そのものは、現在も一部の製品の背後で使われています。

この、日本の製造業（家電等）におけるファジーブームの衰退は、多かれ少なかれ、その後の歴史に影響を残していると思われます。それまでの日本は、次々と生まれる技術革新で世界を席巻してきました。このファジーもそういった技術革新として期待されていたわけですが、確固たる成果は（少なくとも世間では）得られず、この経験はキラキラした新しい技術に対する懐疑心を日本の製造業に残したのではないかと思います。特にファジーシステムはソフトウェア技術でしたから、「ソフトウェア技術は怪しい」という印象を強く残したとしても不思議ではありません。これには理由があります。つまり、ハードウェア技術は目の前に実物があるので消費者にとって良いのか悪いのかの検証が容易ですが、ソフトウェア技術は仮想世界の話です。ファジーのような技術は仕様として実感することが難しい、あるいは平たくいうと「雰囲気だけで良いもののように宣伝できる」というソフトウェア技術特有の特性があったからでしょう。

ソフトウェア技術による日本の製造業への付加価値の創出という側面で、初期のチャレンジがファジーシステムだったことは、少々不運であったと思われます。筆者の私見となりますが、以後日本の製造業は、ソフトウェアによる革新は信用できない。それよりも目に見える（仕様として実感できる）ハードウェア技術こそが信用できると、ハードウェア技術による差別化に特化していった可能性があります。

## 人の能力の一部を超えたＡＩ

第３次のＡＩブームはこのような状況の中で訪れました。一般的に知られているそのブームの到来の例は、犬と猫の画像の判別であろうと思われます。そのＡＩによる判定精度は、初めて人間の判別能力を超えました。つまり、犬か猫か人間では判断がつきづらいような写真に対して、いわゆる生物学上の犬・猫の判定をＡＩが正しく行ったものです。またその後、ＡＩが囲碁で当時の世界チャンピオンを負かしたというニュースが世界中を駆け巡りました。いずれも人間の能力を遥かに超えており、ＡＩがその名前に含まれる「知能」という言葉にふさわしい能力を初めて獲得したものです。

単なるブームとして終わった第1次・第2次ＡＩブームと、現在の第３次ＡＩブームの間には、どのような決定的な差があるのでしょうか？　つまり第３次ＡＩブームは人類の生活を変えるほど本物なのかどうかは、ほとんど紹介されていないと思われます。むしろ、犬と猫の画像判別や囲碁の事例による、「どうやら本物らしい」という雰囲気が先行し、日本の製造業に関わる技術者たちはＡＩの導入を進めているように見えます。このようなふわっとした技術導入の風潮は日本の技術者らしくないように見え、大きな懸念を覚えます。まずは第1次・第2次AIと、現在の第3次AIでは、決定的な差があることを知ってほしいと思います。

本書は技術書ではないため詳細は述べませんが、ひと言でいうと、学習するとは何なのだろうかという問いに、科学が真正面から答えたのが第3次AIです。前節で述べた例で、図5（P26）は第1次・第2次AIが過去のデータから学習した結果です。旧世代のAIは、過去のデータを完璧に「学習」し、すべての過去データを正確に説明できます。しかし実際には、その学習とは、生データそのものの学習であって、データの背後にあるルールの学習ではありませんでした。過去データの説明ではなく、新しいリアルタイムデータ等の判定能力を主眼とする製造業向けのAIとして「役に立たない学習」だったといえるでしょう。

一方で、第3次AIによる図6（P30）は、「人間の知能に近い学習」（知識ではなくルールの学習）です。この2つの学習の差を、数学的に厳密に定義できたのが第3次AIブームの始まりです。これにより、どのAIが望ましい能力を持つのかを判定する基準ができました。これは「ＰＡＣ理論」と呼ばれ、その後も研究が進んでいます。しかし、今の日本の製造業のＡＩ技術者で「ＰＡＣ理論」を理解している人は少数です。これではどのＡＩが製造業に適し、どのＡＩが第1次・第2次ＡＩブーム時のそれと変わらないのか判断できません。やみくもにＡＩベンダーにすすめられるまま、旧来の役に立たないＡＩに投資が行われる危険性があります。

ちなみにＰＡＣとは「おそらく大体正しい（"Probably Approximately Correct"）」という英語の頭文字を取ったものです。「役に立つ学習」とは何なのかを初めて数学的に定義した理論で、今なお重要なＡＩの基礎理論の1つです。

## 実はＡＩユーザーが多い日本のＡＩ技術者

日本の製造業の、特に経営者の方にお伝えしたいことは、実はＡＩユーザーである日本の技術者は多いという、あまり公にならない現実です。少々分かりづらいので、日本の製造業の全盛期時代に近い、例えばパソコンの普及期を考えてみます。

当時の日本の製造業メーカーは盛んに独自のパソコンを売り出し、その優劣を競っていました。ハードウェア技術の限界を攻めるようなスペックを持つパソコンも多く、いわゆるマニアックな世界でしたが、技術者はハードウェアの本質を知り尽くしていました（そうでなければ、性能の限界を引き出すような匠の技を繰り出せません）。スクラッチからパソコンを設計することも（もしやれと言われれば）可能だったでしょう。

しかし時代は移り、今のパソコンの技術者の作業というのは、どのＣＰＵボードやＧＰＵボードを組み合わせるかというプラモデルの組み立てと似た状態にあります。これは決して技術者が悪いわけではなく、ＩＣが高度にブラックボックス化し、また実行速度がアマチュアの扱えるレベル（数百メガヘルツ）を超えたため、技術者自らが動いているパソコンの中を見て学び、またスクラッチから設計を行うことができなくなったためです。

つまり今、パソコンは、技術者が存分に力を発揮できるメインフィールドではなくなりました。パソコン技術の歴史は既に日本の製造業の手を離れた(ＣＰＵメーカーやＯＳメーカーの作るものを使う「ユーザー」になった）といえます。

実はこれと同じことが、ＡＩでも起こっているように思えます。つまり大半のＡＩ技術者はＡＩユーザーである可能性があります。ただし、パソコンと違ってＡＩの中身は見えますし（多くのアルゴリズムは学術論文やオープンソースとして公開されています）、また技術者が自らスクラッチでＡＩを設計することは十分可能という好条件であるのにもかかわらず、です。

この現状が今後も続くと、10年後にはＡＩ技術もパソコンと同じように、日本の製造業は海外製ＡＩのアセンブル専門になってしまうかも知れません。国際競争力を失い、ＡＩの分野でも、日本は困難なコスト競争を余儀なくされてしまうでしょう。

ですが、ＡＩに関しては、現時点では日本がまだその中心に位置することが可能な、時間の余裕があるエリアが広がっています。日本の製造業がその強みを発揮して参入できるＡＩの応用エリアと、もう既に海外勢が大勢を固めてしまったエリアがモザイクのように混在しているのが、今の製造業向けＡＩの実情です。次章では、日本の製造業が、どこでＡＩユーザーとして賢く振る舞い、どこでＡＩメーカーとして国際競争力の源泉を生み出すことができるのかを論じていこうと思います。

# 第2章

# どのAIがどのように日本の製造業に貢献するか

PLUS-SUM GAME

## 日本の製造業の強みを生かすためのＡＩ分類

既に世の中には多種多様なＡＩが存在しています。その分類方法は何通りも存在しますが、本書のテーマは日本の製造業がどのようにＡＩを利用し、または差別化要素を作り出し、国際競争力を高めていけるかですので、かなり特殊な分類を行います。つまりどの分野のＡＩが単なるユーザーとして振る舞いコストダウンを追求するのか、そしてどの分野のＡＩが日本の製造業の強みを生かして世界に君臨できるか、という観点で分類をしました。よって、従来のＡＩ分類からするとかなり奇妙に見えると思います。一般的な分類、学術的な分類に興味のある方は、既に様々な文献が世の中にありますのでそちらを参照してください。

【本書で用いるＡＩの分類】

カテゴリ１：画像・音響・言語処理（その他）用ＡＩ

カテゴリ２：将来予測ＡＩ

カテゴリ３：製造データ分析ＡＩ

カテゴリ4：制御ＡＩ

では、それぞれ順番に見ていきましょう。

## カテゴリ　1

カテゴリ1は、画像処理用、音響処理用、そして言語処理用等のＡＩです。日本の製造業における画像処理用ＡＩといえば、主な例は外観検査用のＡＩになります。また音響処理用のＡＩとしては、例えば音声認識であったり、あるいは打音検査の判定用のＡＩです。また言語処理用ＡＩは、社内文書の検索やメール解析による人事案件の評価ＡＩ・ＱＡセンターでのお客様のムード分析等が主なものです。現在ブームを巻き起こしているChatGPTもこのカテゴリに属します。

原理的にまったく異なるこれらのＡＩを1つのカテゴリにまとめるのは、日本の製造業が差別化要素を作れるチャンスがほとんどない、既に市場の構造が決まってしまったＡＩ

だからです。

全世界にいる多くのＡＩ技術者は、新しい成果をＡＩで発表することで実績を作り、名を上げようと、それこそ血眼になってアプリケーションやアルゴリズムの研究を行っています。そういった技術者が研究評価用データを手に入れやすいこれらの分野は、ＡＩ研究を迅速に進めることができ、最も研究が進んでいるといって良いと思います。つまり、画像・音響・言語のデータはＷｅｂ等で大量に、しかも簡単に入手できるからです。そういう意味では動画や公開株価情報、天気データも同じです。これらを分析するＡＩに関しては、既にアルゴリズムは行き着くところまで行っています。

日本の製造業が独自のＡＩ研究を進めて差別化要素を追求しようと考えた場合、まずは研究対象とするデータが世の中で簡単に入手できるのかどうかをチェックすることが肝心になります。もしＹＥＳである場合、このエリアのＡＩ研究に投資することは、いわゆる「車輪の再発明」となって無駄になる可能性が高く、従って国際的な差別化要素を作り出すことはあきらめたほうが良い（＝キャッチアップに専念せざるを得ない）ということです。

残念ながら日本はこれらのＡＩ分野では立ち遅れました。

もう１つ、画像・音響・言語系のＡＩが急速に発展したのは、いくつかのブレークスルーがあったためです。例えば画像ＡＩではＣＮＮ（畳み込みニューラルネットワーク）と呼ばれるもので、詳細は専門書に譲りますが、要は画像というデータは局所的に意味のあるデータが集まっている（例えば人間の顔の場合、意味のある要素である目や鼻のデータは画像上局所的に存在している）という特性をうまく使ったアルゴリズムです。ＣＮＮの発明により、画像ＡＩは飛躍的な進歩を遂げました。既に述べた犬猫の画像分類では人類を超える性能をたたき出し、その後もたくさんのアルゴリズムが考案されています。

一方で、最近の国際ＡＩ学会の講演内容を見ると、画像ＡＩの進歩はほぼ飽和状態で、枝葉の技術開発が多いように見受けられます。さらなる進歩には次のブレークスルーを待つことになりますが、画像ＡＩは既に産業利用に十分な実用レベルの性能を発揮しているのはご存じの通りです。

製造業に対してカテゴリ1のＡＩが寄与できる範囲は広く、例えば人による外観検査を高精度化あるいは省人化するといった応用、あるいは打音検査のような専門家の経験が必要な検査を高精度化するといった例が、既に実用化されています。また英語⇒日本語のような言語翻訳についても、急速に技術発展が進んでいます。

## AI研究がハイスピードで進む理由

ＡＩの研究・開発では、そのアルゴリズムやプログラムの多くが研究用として無償で公開されています。従来の物理・化学・生物といった研究分野では、重要なノウハウ（例えば匠の技のような部分）を文章にして公開することが不可能なケースが多いことから、他の人の研究を自分の実験室で再現するのは、不可能ではないにせよ骨が折れる作業です。ところがＡＩ研究の分野ではプログラムやデータセットが公開されています。そのため、公開されたプログラムとデータセットをそのまま用いることで、論文発表結果の再現実験を比較的容易に行うことができるのです。また、使用されているプログラムを変更する等して、他の研究者の研究成果をもとに、独自の研究をさらに進めることも可能です。

国際ＡＩ学会は、現状のところかなりオープンで理想的な研究環境を整備したといえます。これがＡＩの進歩が急速に進んだ理由の1つですが、それは偶然の産物ではなく、科学の発展を加速するために学会の意思として透明性を上げることを推奨したからです。筆者が国際ＡＩ学会で聴講していた発表の質疑応答のセッションにおいて、聴講者から「使用したＡＩプログラムは公開しているか？」という質問が出たことがあります。それを受けたプレゼンターは「今後、公開する」と答えましたが、場内からは失笑がもれました。「今後公開」ということが永遠に公開されないということと同義であることを、会場に居合わせた誰もが知っていたからです。プログラムを公開しないということは、その実験再現性が疑わしいと思われてしまう風土があるということです。

カテゴリ1におけるＡＩは、このようなオープンな学術学会で、ハイスピードで研究が進んでいるのが特徴です。

これは、日本の製造業に対してどのような影響を及ぼしているでしょうか？　一見、学問の進歩に対して望ましい環境に見え、日本の製造業にもプラスの影響があるように見えますが、筆者は逆に、日本の製造業が差別化要素を作るには不利な環境だと考えます。ノウハウがすべてオープンになっている環境においては、最先端の差別化要素を作るには数の論理がまかり通ります。つまりパワーとスピードです。パワーとスピードを持つ企業や国の場合、例えば１００個のＡＩのアルゴリズムがあったとして、そのうちの中から有効なものを見つけたい、発展させて差別化要素を作りたいと思えば、その研究を人海戦術によって進め、良いものだけを選択するという手段を取ることができます。これは、現在の日本の製造業にとっては、かなりつらいグランドルールとなります。

日本の製造業が目覚ましい発展を遂げていた時、その差別化の根源となる要素はハードウェアの差別化や最適化された製造方法にありました。これらは、特にノウハウを公開する必要もなく、自社内、あるいはいくつかのパートナー企業間で情報を共有し、他のグループには非公開とすることが容易でした。いわゆる「島」を作れたため、仲間内でノウハウを独占でき、海外勢のキャッチアップがなかなか難しい状態を作れたわけです。しかしAI研究のように、ノウハウが完全にオープンな場の中で何か独自の差別化要素を作ろうとするとなると、短期間での人海戦術を取らざるを得ません。現状の日本の製造業で許容されるパワーとスピードを考えると、それにはかなりの困難があるといえます。日本の製造業は、カテゴリ1のAIの研究には参入しないほうが良いというのが筆者の結論です。

ただし、これはカテゴリ1のAIを使わないという意味ではありません。カテゴリ1については、日本の製造業は、独自の差別化要素を作ろうとするのではなくて「使い倒す側」に回るということです。

過去に発展途上国と呼ばれていた国々が、カテゴリ1のAIにこぞって参入するのはそのノウハウのオープン性からであり、研究に大きな設備投資の必要がないからです。このように、カテゴリ1のＡＩの技術は飽和状態に近く、今ではどのＡＩベンダーも同程度の技術を所有しコモディティ化が進んでいます。

日本の製造業がカテゴリ1のＡＩ導入に関して取るべきは、多数のＡＩベンダーから、技術面というよりはサポート面・品質保証面・コスト面等で優位性を持つベンダーを選ぶことです。また、日本の製造業技術者は未知のＡＩに対して恐れのようなものを抱く時があり、ベンダーとの交渉では引け目等を感じることもあるのではと思いますが、少なくともカテゴリ1のＡＩは世界でコモディティ化しているので、ショッピングで品定めするような気持ちの余裕を持ち、誠実なパートナー企業を選択すれば良いでしょう。

また、コモディティ化したカテゴリ1のＡＩベンダーは今後、品質・サービス面・コスト面での競争となり、技術面での競争から一転して一般のビジネスとしての競争が始まると思われ、ここ数年で淘汰が進んでいくと思われます。

このように、カテゴリ1のＡＩはキャッチアップすべき対象ではあるものの、プラスサムゲーム、つまり国際競争力を持てるような差別化要素を見つけることは極めて困難です。

カテゴリ1のＡＩのまとめ

●画像・音響・言語処理等のＡＩがカテゴリ1
●一般のＡＩ技術者が比較的簡単にデータにアクセスできる分野
●ブレークスルーが生まれた分野に関しては既に実用レベルのＡＩが存在する。この分野に新たに参画し、差別化要素を見つけることは極めて困難
●カテゴリ1のＡＩで技術レベルが上がっていない分野（株式予測等）は、ブレイクスルー待ち
●技術ノウハウのオープン化によって参入しやすいが故に、様々な国の多数の企業がほぼ同レベルの技術力を持ち、既にコモディティ化している。ＡＩベンダーを見極め、品質面・コスト面・サポート面での選択を行い、技術を使い倒す方針がおすすめ

## カテゴリ 2

カテゴリ2は将来予測ＡＩです。

将来予測は人類の夢です。その夢を叶えるために、古来から占星術や予言等、ありとあらゆる将来予測が「開発」されてきました。主な用途は吉凶の予測で、今後発生するであろうリスクに備え、回避するためのものでした。これは現代においても同様だと思います。

ＡＩの登場は、この将来予測を可能にしたのでしょうか？　答えは、残念ながら「ほとんどＮＯ、一部ＹＥＳ」となります。現状の将来予測ＡＩの限界を知るためには、この「一部ＹＥＳ」のところを理解するのが早道です。

まずは比較用に、将来予測の従来手法をおさらいします。将来予測に最もよく使われる従来手法は、直線近似です。図８（Ｐ56）のように図にするまでもなく、Excel等の機能を使って、あるいはもっと単純に定規を引いて、過去のデータから将来を予測します。

**図8**

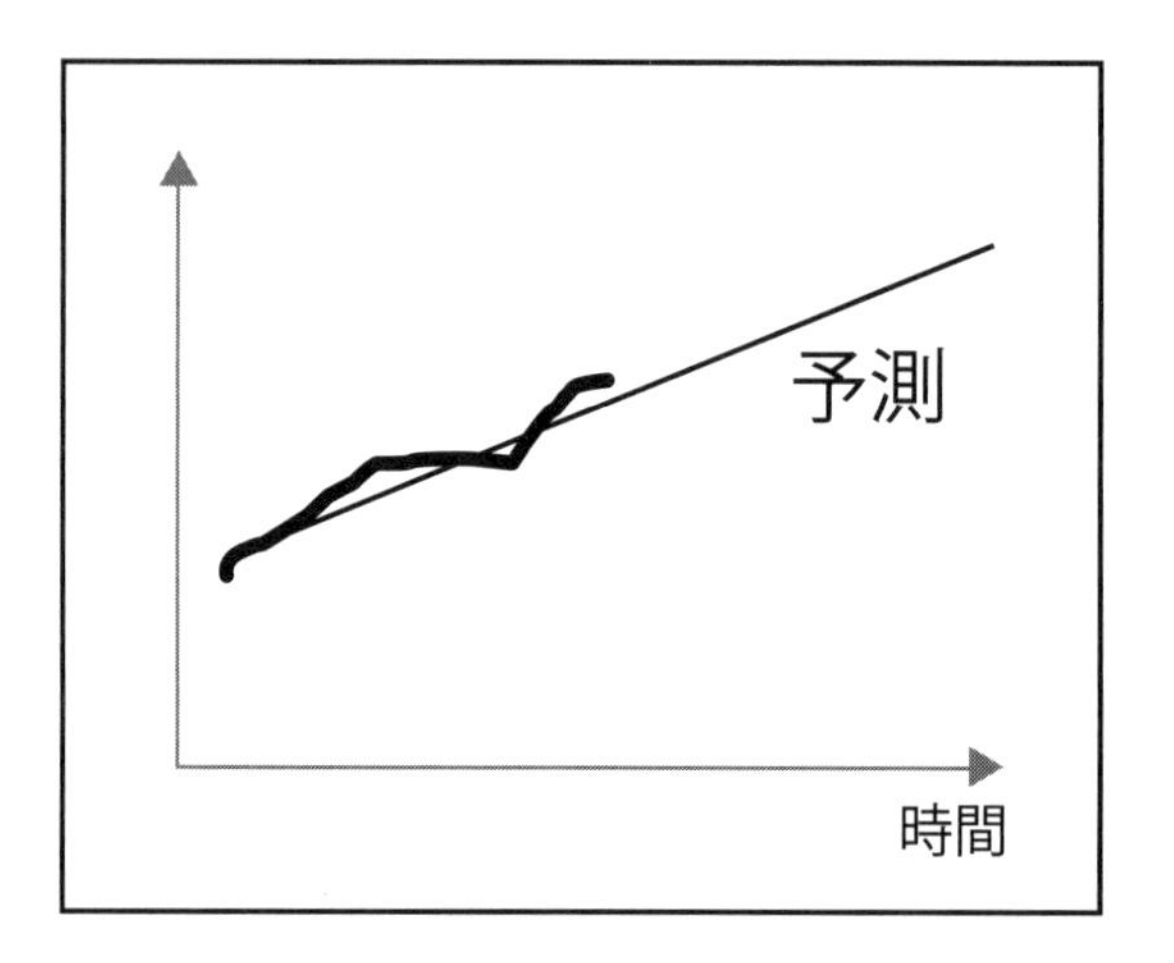

Excelには、最小二乗法という方法を使い、過去データになるべくフィットするような直線を引くという機能があります。また、売上予測や複利計算のような場合にも、多少数学的な処理は異なるものの、基本的には同じ手法を用いた将来予測が行われます。過去のデータに対してよくフィットするため、将来も直線状に（あるいは売上予測のような場合、滑らかな曲線で）推移するだろうという予測手法です。

余談ですが、2000年前後の第3次AIでデータを扱う際の数学的な解釈（第1章で述べたPAC理論）が進歩しましたが、面白いことにその副産物として、過去データとの誤差を最小二乗法によって最小にするようなフィッティング方法は、実は最良の方法ではない、ということが証明されました。例えば前章（P18）のホットケーキの問題の場合、最小二乗法で過去データのフィッティングを行うと、P26の図5のような結果になります。オーバーフィッティング、あるいは過学習という言葉をお聞きになった方も多いと思いますが、過去のデータ、特に外れ値（Outlier）と呼ばれる例外データに対して過度にフィッティングしてしまうという現象が発生するためです（とはいえ、最小二乗法による将来予測は手軽ですし、他の手法でもさして違いは出ないため、現状の売上予測等の手法を変える必要はありません）。

本題に戻りますが、従来手法による将来予測の本質的なところは、予測が結局のところ直線（あるいはデータに即した曲線）で近似しているということです。もっと別の、曲線の曲がり具合の変化等をより正確に捉えた手法もありますが、どちらにせよ、過去の傾向がそのまま将来も続くという前提に立つ予測手法です。

この将来予測は、第3世代ＡＩによってほんの少しですが進歩しました。現在のＡＩによってかなり正確にできるのは、例えば図9（Ｐ59）のような予測です。

**①山と谷が交互に現れ、**
**②その山の高さは一定割合で大きくなり、**
**③山の裾野の広がりも一定割合で大きくなり、**
**④そして全体の配置が少しずつ右上がりになっている**

①～④の事情が分かっているのであれば、図9の予測曲線を描くことは人間でも可能であろうと思います。

しかし、もし①～④の事情がよく分からなかった場合、あるいはもっとノイズが乗って

**図9**

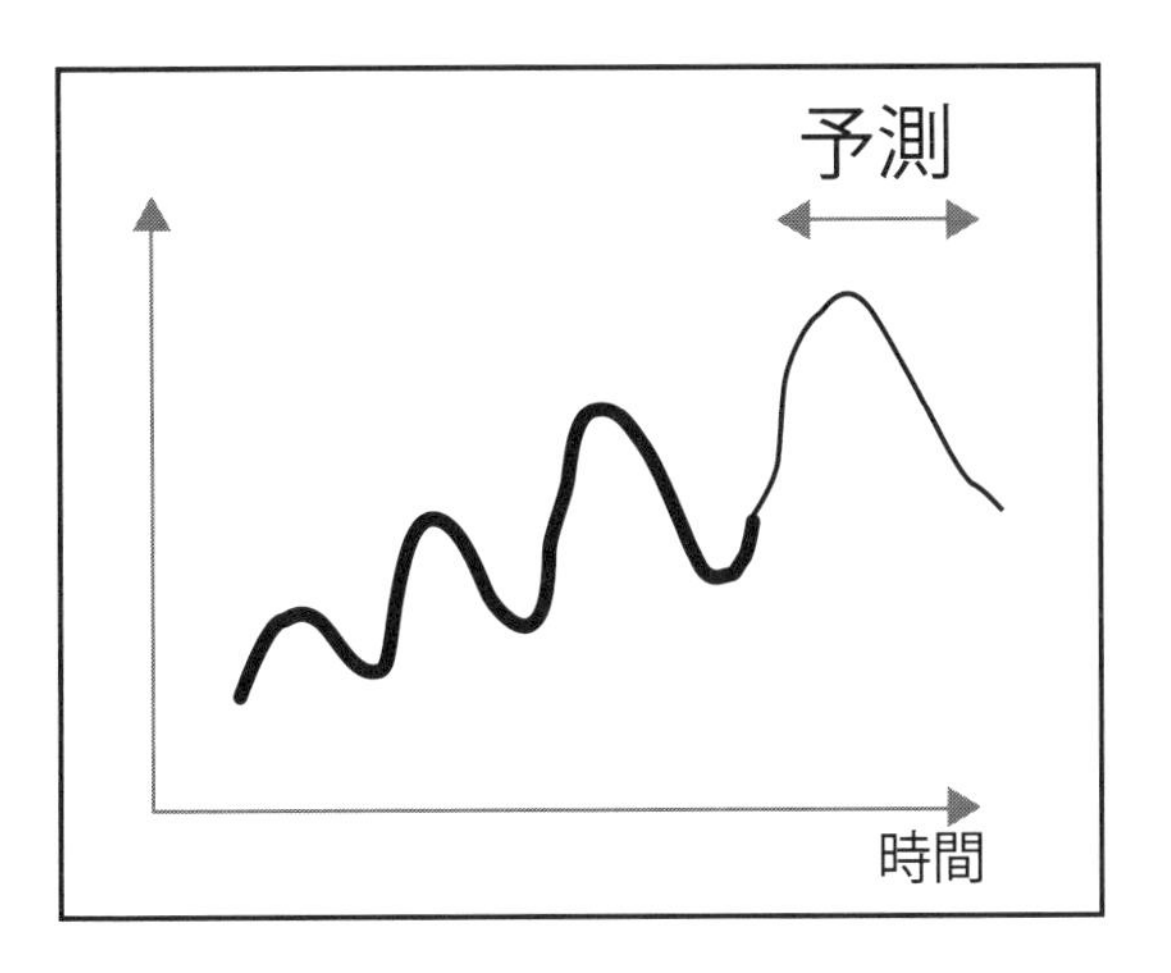

関係が見えにくいデータであった場合（前章のP18でご紹介したホットケーキの●×の問題を思い出してください）、人間には難しい作業となります。朗報は、第3次AIは①〜④の特徴を自動的に見つけ出し、そのルールに従って将来予測を行うことができるようになったことです。これが最新のAIを使った将来予測の限界です。

とはいえ、図9（P59）のグラフを見て、売り上げの季節変動等に思い当たった方は多いのではないかと思います。グラフからは一見、見えづらい長期にわたる変動と、比較的短期の季節変動が組み合わさったような場合には、現在のAIによって非常にうまく将来予測ができるでしょう。

このように、将来予測AIは使いどころが焦点となります。将来予測AIの限界を理解し、比較的一定のルールに沿っていると思われる変動を見つけて適用する、というアプローチは大変有効です。

一方で、何か重要な経営指標のようなデータをむやみにAIにかけても、現時点での将来予測AIは魔法の杖の域に達していないため、期待した結果が得られることはないと思われます。現在の将来予測AIが予測できない例としては、「ファスト&スロー」（文献C）に見られる、七面鳥の体重グラフが象徴的です。それをイメージしたのが図10（P61）

## 図10

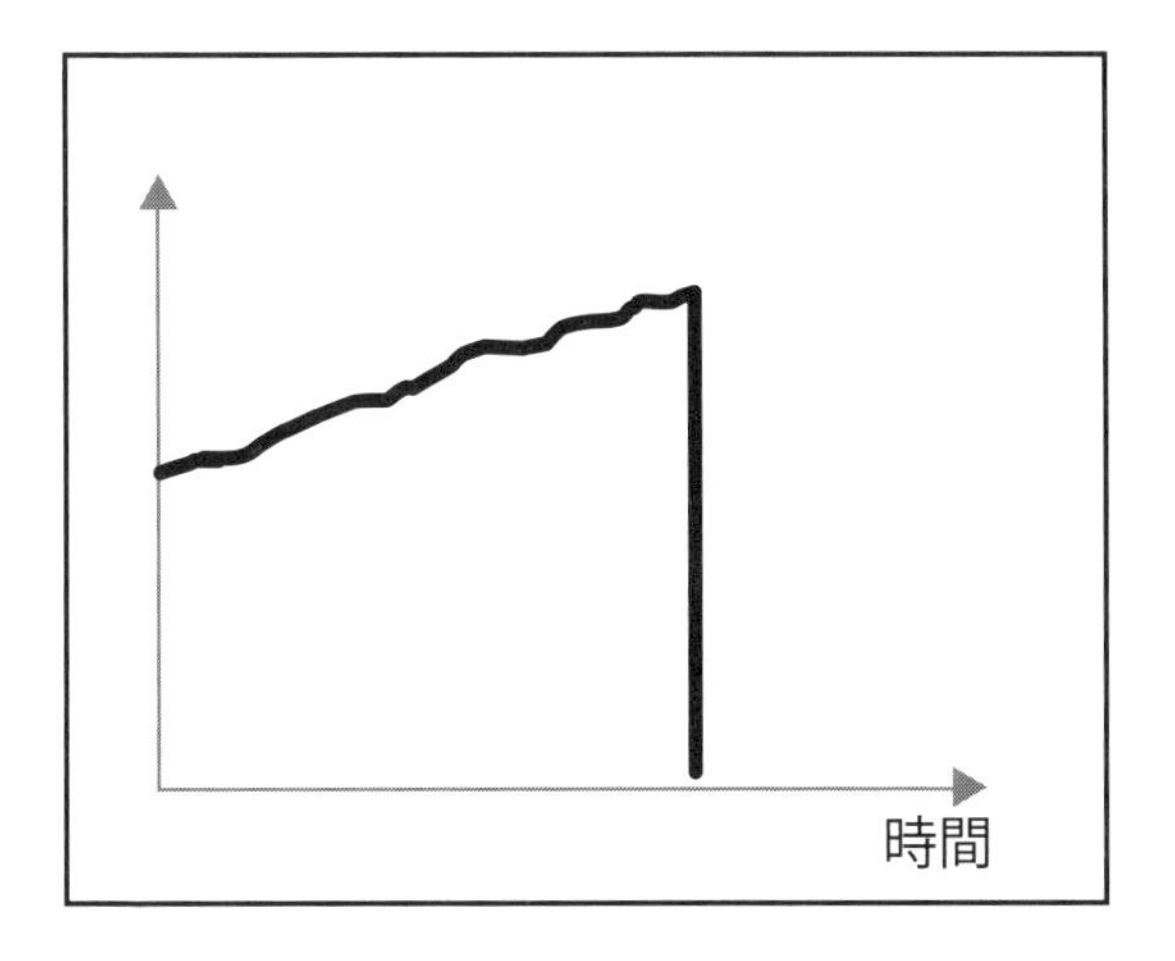

です。

七面鳥の体重は時間とともに順調に増加しますが、クリスマスの日を境に0になります。このような突発事象の予測をＡＩは行うことができません。これは極端な例ですが、例えばCOVID-19や国家間の紛争等の地政学的影響によるサプライチェーンの混乱等は、残念ながらＡＩでは予測することはできません。

将来予測のＡＩを開発するためのデータは、ＡＩの研究者でも比較的簡単に入手することができます。例えば株価データ、気象データ、企業収益データ等です。大勢の研究者が将来予測に挑んできましたが、現状は本節で述べた通りです。現代技術では予測が不可能なところが最も知りたいところという根本的な課題設定の問題となるでしょう。

ただし、ＡＩは、何か異常なことが起こる予兆のようなものを適切に捉えることができます。現状の将来予測ＡＩが予測するような滑らかな変化から、実際のリアルタイムデータが外れた時が異常の予兆です。将来予測ＡＩは、予測というよりも、通常ではない何らかの事象を捉えるという目的で使うことになると思います。異常予兆の検出については力テゴリ3でも言及します。

カテゴリ2のAIのまとめ

●将来予測AIがカテゴリ2

●AI技術者は比較的簡単にデータにアクセスできるが、精度の高い「将来予測」はそもそも不可能。特に最も期待の高い突発事象の予測をAIはできない

●一方で、季節変動等のいくつかの変動要素が組み合わさったようなデータに対しては、第3世代AIはそのルールを捉えた将来予測が可能。データの特性を見極めた上での適用となる

●異常予兆を捉えるためのベースとして使用するのが現実的な利用方法

## カテゴリ 3

ここまでご説明したカテゴリ1とカテゴリ2のＡＩは、日本の製造業が差別化要素を見つけにくいＡＩです。日本の製造業が強みを発揮できるのは、次のカテゴリ3及びカテゴリ4のＡＩです。

カテゴリ3は製造データ分析ＡＩです。

製造現場で収集される製造データやその課題については社外秘であることが多く、また読み解くには現場の知識＝ドメイン知識を必要とすることが多いため、たとえ最先端のＡＩ技術者であっても極めて参入しにくい分野です。

野心家のＡＩ研究者は、自ら持つ唯一無二の理論等による武器を用いて、大きな成果の出せる研究分野をホッピングしながら実績を積み上げていく傾向があります。つまり、迅速に成果を出して世界に発表したい野心的なＡＩ研究者にとっては、カテゴリ3のＡＩは、データを入手するまでに時間がかかり、かつ、課題を理解するところに現場の知識を必要とするため敬遠されます。

その結果、カテゴリ3は進歩が緩やかなＡＩの分野となっています。一方で日本の製造業の技術者は、1つの対象を粘り強く研究し続ける傾向が強いため、このカテゴリ3は日本のＡＩ技術者が世界に対抗できる可能性を秘めています。

もう1つ、このカテゴリ3のＡＩにいえることは、日本の製造業のように既存の現場の技術レベルが高い場合、一般のＡＩ研究者が何かしらの新しい成果に到達するための壁が非常に高いということです。これまで蓄積された高度な製造の理論や方法論が、ＡＩ研究者が越えなければならない壁として立ちはだかります。コモディティ化したＡＩを現場に設置してすぐ新しい成果が得られるほど、日本の製造業のレベルは甘くはありません。

実際、日本の製造業がＡＩを導入しようとした時のよくある失敗に次のようなものがあります。対価を支払って製造データ解析をＡＩベンダーに依頼し、彼らがＡＩによる解析結果を報告した際に、「それはよく知っていることだ」というオチになるというものです。高額のＡＩ研究費を払った結果が、既に現場では知られている知識であっては、期待も大きかった分、現場のＡＩに対する失望感は大きくなります。

つまり、カテゴリ３のＡＩで差別化要素を見つけようとするＡＩ技術者は、越えなければならない高い壁（既存の製造技術）があることを最初から認識していなければならないということになります。この点が、日本の製造業がＡＩによるプラスサムゲームを目指す場合に非常に重要です。どのようにしてプラスサムゲームを目指していくかの提言は、本節の後半で述べようと思います。

製造データ分析ＡＩについては、大まかに３つの分類があります。

① **異常予兆検出**
② **品質予測**
③ **要因推定**

①は、例えば製造設備（ポンプやタービンを想像してください）のような高価な設備が壊れる前に予兆を発見し、メンテナンス等の予防を行うための用途。②は、製造時のセンサーのデータから、品質の状態を検査前に予測する用途で、前章のホットケーキの●×問題のようなもの。③は、例えば過去に大きな製造トラブルがあって分析したものの原因が分からず、残っているデータをもとにトラブルの原因をＡＩを使って特定する、という用途となります。

これらの詳細について本書で説明しませんが、文献Ｄには、およそ40種類の①～③の実例が紹介されています。

これらのＡＩ解析例は、主に日本の製造業の現場の課題をランダムサンプリングしてＡＩ解析を実行した実測リストですので、製造現場でＡＩが活用できる課題の全体感を表しています。それによると、①、②、③の課題はほぼ同数であり、現場にはまんべんなく存在していると考えられます。

日本の製造業の強みの1つは、現場での改善課題抽出とその解決能力です。主だった問題は既に解決済みで、また未解決問題についても過去に従来の解析手法で研究が行われてきたという例が多く見られます。一方で、海外の場合は、高い離職率を背景に日本の場合ほど熱心に継続的な研究が進められていないことも多いと思われます。第3世代ＡＩには、前章で述べたような優れた特徴があるので、従来手法で解決できなかった問題を改めて解決できる可能性があります。実はこのカテゴリ3は日本の製造業に決定的な差別化要素・国際競争力を作る可能性があります。

ところが、先ほどの文献Dの例にありますように、現場での未解決課題は多種多様であり、しかも1つ1つは比較的小粒の課題、つまり抜本的に製造効率や品質を上げるものではないことが多いようです。このことは、経営者にとっては頭の痛い問題となります。

つまり、例えばＡＩベンダーに課題解決を依頼するとした時に、一体何回投資をすれば財務諸表に結果が表れるような成果が得られるのかという、コスト上の問題です。この点と同時に解決すべき課題が、これまで改善や改良を長い年月にわたって続けてきた結果、日本の製造業の現場が簡単に答えを見つけられるような課題は既に解かれており、残っている課題解決に要求される難易度は極めて高い可能性があるということです。

課題の難易度が高い時にＡＩを適用して解析を行うと何が起こるでしょうか。それは、悪い意味での既知の課題の再発見です。特定の課題を解くためにＡＩを適用すると、ＡＩは必ず何らかの答えを出してきます。しかしその答えは期待とは裏腹な、現場では「よく知られた」答えであり、しかもその解決法は実行できないもの（例えばコストや製造の制限等の理由で）であることが多いのです。

例えば品質を上げるための問題にＡＩを適用して解析を行い、２倍の温度で加熱すれば品質が上がるという答えをＡＩが出してきたとします。これはまさに正解ですが、ただ、２倍の温度で加熱するためには多量の電力が必要で、追加製造コストが品質向上による利益を上回り、ビジネス上実行不可能な施策であるといった具合です。製造の現場からはＡＩの出した答えに対して「そんなことは百も承知だ」という声が上がるでしょう。

なぜ、難易度の高い課題をＡＩで解こうとするとこのような問題が起こるのでしょうか。理由をひと言でいうと、ＡＩ自体は問題の背景を知らないからです。ＡＩは、例えばＩＱが３００あるような天才幼稚園児のようなものだと考えてください。ある課題が与えられると、ＡＩは喜んで「最も明らかな回答」を見つけてきます。先ほどの品質の例ですと、２倍の温度で加熱するというような実行不可能な回答です。それは課題を取り巻く諸条件を一切知らない天才幼稚園児から見れば、当然の分析結果なのです。

この場合の対処法は、まず、品質を最大にするという問題設定を変更することです。加熱して温度を上げるのに必要なコストをＡＩにデータとして与え、品質の向上による収入の増加分から過熱に必要なコストの増加分を引いた量、つまり利益を最大にするような問題設定に変更します。そうすれば、ＡＩ、つまり天才幼稚園児は、利益を最大にするような条件を導きます。このような背景情報をＡＩに伝えることは依然として人間の仕事です。

さらに、利益を最大にする問題に変更して改めてＡＩで解かせると、「次に最も明らかな回答」をＡＩが出してきます。これもまた「現場ではよく知られた実行不可能な答え」である場合があります。そして再び問題に変更を加えながらＡＩを適用する。こうしたＡＩ解析と問題変更を繰り返すうちに、最終的にほしい答えにたどり着きます。

このように、ＡＩを繰り返し使って解答を得る必要があるのは、日本の製造業のこれまでの努力の裏返しです。既に現場には簡単に答えを見つけられる問題はほとんど残っておらず、未解決な課題は、本質的で難易度の高いものだからです。

ただこの事態を「面倒」で終わらせてはいけないわけです。この本質的で難易度の高い問題を解いてこそ、日本の製造業は国際的な差別化要素を獲得できると考えます。そして先に述べたように、既存の現場知識やドメイン知識を使いながらＡＩを繰り返し適用することで、問題解決の本質にたどり着けるのです。

さて、この「既存の知識を使いながらＡＩを繰り返し適用する」という作業は面倒な作業です。従って、ＡＩベンダーに業務を依頼しても辞退される可能性があります。その理由は2つで、1つはＡＩ技術者を長期間拘束するため回転率が悪いこと（カテゴリ1のＡＩに技術者を投入したほうが回転率は高く、ＡＩベンダーの利益率が高い）。もう1つは現場の既存の知識をベースに、ＡＩが本質にたどり着けるようにチューニングする必要があるため、ＡＩ技術者は時間を使って現場の技術者と深いコミュニケーションを取らなければなりませんが、そのようなことができるＡＩ技術者はまれです。このようなことから、ＡＩベンダーは手軽なカテゴリ1のＡＩ（例えば画像認識）のプロジェクトをおすすめし、カテゴリ3を避けようとするのは最もなことだと思います。

このように、カテゴリ3は日本の製造業にとっては極めて重要なエリアです。一方で、経営視点では多くの小粒な課題を解くための繰り返しのコストと、そもそもＡＩベンダーが敬遠する可能性が高いという状況を同時に打開しなければなりません。ですがこれは、解決が可能な問題です。

その方法とは、現場の技術者がＡＩを使えるようになる、というトランスフォームを実行するというものです。現場技術者がＡＩというスキルを獲得し、通常業務の中でＡＩ技術者として振る舞えれば、ＡＩベンダーを毎回雇う必要はありません。同時に、日本の現場技術者の強みである、ドメイン知識を多く持ち、また粘り強いという気質も、ＡＩによる答えの探索というＡＩと人間の協業プロセスにはフィットしています。

残された問いとして、「果たして現場の技術者がＡＩを使えるようになるのか？」とお考えになる方も多いと思います。ですが、それは問題設定が根本的に違います。正しい問いは、「果たして現場の技術者が使えるようなＡＩが世の中にあるのか？」です。現場技術者がＡＩに歩み寄るのではなく、ＡＩが現場技術者に歩み寄るのが正しい姿なのです。

AutoML（Automated Machine Learning）というＡＩの研究が長年盛んに行われています。通常、第3世代ＡＩは設定するパラメータの種類が多く、またそれぞれのパラメータがどのような効果を生むのかは数学的にしか表現できず、一般の製造業技術者にとってＡＩのチューニングは難しい問題です。AutoMLの技術は、このパラメータ調整を排したＡＩのことです。つまり、ＡＩの実行はボタン1つ、という魔法のようなものです。AutoMLは、日本の製造業の現場技術者がＡＩを使うアプローチにおいて、今後重要な役割を占めると思います。

ここまで見てきた通り、カテゴリ3は日本の製造業には重要なＡＩ適用の分野であり、その一方で、これまでの日本の製造業の技術力の高さ故、ＡＩ適用を外出しするのはコスト面、及びＡＩベンダーの選択の点で難しいと考えられます。しかしAutoMLを現場技術者が使えるようになるようにトランスフォームすることで、カテゴリ3での差別化要素を見つけていくことは可能です。日本の製造業の国際競争力を持つ差別化要素を何としてでも作り出す、その1点において、カテゴリ3でのＡＩ活用は重要な分野なのです。

### カテゴリ3のAIのまとめ

●製造データ分析AIがカテゴリ3

●一般のAI技術者が製造業のデータにアクセスすることは極めて困難であるため進歩のスピードが遅く、日本の技術参入の余地がある
●AIの利用により、日本の製造業の強みをさらに進化させる可能性がある
●一方で、AIベンダーに外出しするのは、コスト面及び技術面で困難
●AutoMLによって現場技術者がAIを活用できるように底上げすることで、困難を克服できると考えられる

## カテゴリ 4

カテゴリ4の制御ＡＩは強化学習というＡＩを使ったもので、世界的にも未だ製造業の経営や現場に浸透していない新しい技術です。

このＡＩは、いわゆる匠が持つ技術を学習するのみならず、匠が持つ技術のさらに上の技術を見つけ出す可能性を秘めています。日本の製造業の高い技術をさらに飛躍させるという意味で、国際競争力となる差別化要素を作り出すとても重要なＡＩです。制御ＡＩに

より匠の技術を超える結果が出るとなれば、長年の後継者問題も一挙に解決するかも知れません。また、制御ＡＩは製造現場のみならず、日本のきめ細かい納期コントロールやサプライチェーンの調整においても同様の力を発揮するため、既に独自の詳細な納期・サプライチェーンのコントロールを行っている企業にとっても、さらにもう一段上の最適化を可能にすると考えられます。

このように、カテゴリ4は非連続に日本の製造技術を向上させながら同時に高度人材不足を解決する可能性があるという意味で重要であり、筆者は日本の製造業のプラスサムゲームの根幹に位置する技術と考えています。

現時点では製造業における強化学習ＡＩの活用例はほとんど知られていないため、制御ＡＩの概略とその能力を簡単にご説明します。

強化学習ＡＩを使った例として最も有名なものは囲碁のＡＩです。２０１６年にGoogle傘下のDeepMind社が開発したAlphaGoが囲碁の世界チャンピオンを4勝1敗で下したのは、囲碁ファンでもＡＩマニアでもない方でもご存じなのではないでしょうか。

囲碁のルールをご存じない方のために、ＡＩに関連した囲碁の肝の部分を簡単に紹介すると、黒と白の石を19×19のマス目に互いに置いていき、自分の色の石が盤面を囲んだ範囲の大小で勝敗を決するという陣取りゲームです。将棋やチェスのようにそれぞれの駒に複雑な動きが定義されているわけでもなく、ルール的にはとてもシンプルです。

ところが、コンピュータが人間よりもうまく囲碁を打つというのは、長年不可能あるいは遠い将来になるだろうと考えられていました。ＩＢＭのチェスプログラムが世界チャンピオンを負かしたのは１９９７年でしたし、バックギャモンやオセロといったボードゲームに人間を超える手を指すプログラムが登場したのは第３次ＡＩブーム以前です。余談ですが、将棋に関してはチェスと違って取った駒をもう一度利用できるという部分が読みを複雑にするためチェスよりも発展が遅れましたが、コンピュータの急速な進化に伴い、既にプロ並み、あるいはプロが思いつくのに時間がかかる手を制限時間内で見つけられるようになっています。プロの将棋の対局でスマートフォンの頻繁な利用が禁止されているのは、その１つの理由に、対局の合間にコンピュータを使った筋読みをさせないようにするためという事情があります。またテレビの将棋対決において、情勢判断をＡＩが行っているのをご覧になった方も多いと思いますが、それはプロの解説並みの深い情勢分析をＡＩが行えるようになった証拠でもあります。

一方で、囲碁の情勢判断が極めて難しいというのは、19×19という非常に大きい盤面で、一部の例外を除けばどのマスに碁石を置いても良いという自由度の高さと、また盤面の一部を使った局所戦（手の選択肢が限られる）だけではなく、広い盤面を使った大局戦（局所戦と局所戦をつなげ、盤面全体の大きな戦いに発展させる戦略）のスコープの豊かさから来ます。また囲碁は、どこでゲームの決着がついたのか、いつがゲームの終わりなのかということすら、素人には判断できなかったりします。石を打っても勝敗に影響しない、あるいはそこに石を打つと却って自分が損をするという先読みができないと、それこそ19×19の盤面をすべて石で埋め尽くすまで対局を続けることになりますが、それはもう囲碁とは呼べないものです。このように、囲碁は「宇宙より複雑なゲーム」と呼ばれることもある、とてもハイコンテキストなボードゲームといえます。このようなハイコンテキストなゲームを、ロジック（こういう状況の時はこういう手を打つ）を使って技術向上させることは不可能です。それが囲碁のコンピュータソフトがなかなか人間を上回れない原因でした。ロジック以外の方法で囲碁の強手を見つけ出す新たな手段が必要だったのです。その手段が第3世代ＡＩの1つの強化学習でした。

強化学習のイメージは次のようなものです。子供と大人が一緒に積み木を高く積み上げるゲームをします。これを大人が「ロジック」でやろうとすると大変です。まずニュートン方程式を勉強し、重力が積み木に与える影響を計算し、計算通りに積み木を配置する技術が必要となります。ものの理（ことわり）、つまり物理からロジカルに積み木問題を解こうとするとこのようなアプローチになります。

一方で、子供が無邪気に積み木を積み上げることができるのは、周知の事実です。ところが子供は別にニュートン方程式を「発見」したわけでもありませんし、計算通りに積み木を配置する「技術」を持っているわけでもありません。それでも積み木を積み上げるというゴールを達成しているわけです。こういった「ロジック」ではないゴールの達成手段を、人間の脳の動きを模して実現したのが強化学習です。

子供が積み木を上手に詰めるようになる状況を表したのが図11（P79）です。

子供は好奇心から積み木を積み上げようとします。その結果は、まずは失敗でしょう。何度か試行錯誤を繰り返すうちに、２個の積み木を積み上げることに偶然成功したとします。見ていた大人は大喜びします。大人の喜ぶ姿を見た子供はうれしくなり、さらにその上に積み木を積み上げるための仮説を考え、再び挑戦します。試行錯誤を繰り返しながら、積み木を高く積み上げることを学んでいきます。

このような状況は、アクション、状況認識、報酬、仮説立案という4つの要素で構成されます。まずトライして、その結果、積み木が積み上がったか崩れたかの状況を認識し、大人から報酬（拍手喝采される、「惜しい」と言われる、あるいは全然見当違いなら残念な顔をされる）を受け取って、それまでの過去の経験から報酬を最大にするような仮説を立て、再びアクションを取るというループです。こうして子供は4つの要素をループしながらより効率的に積み木を積み上げる方法を会得していきます。

このように説明すると仰々しいわけですが、ポイントは、別に子供はニュートン方程式を理解しているわけではないということです。厳密なモデル無しで、ゴールを達成していく学習過程ということになります。強化学習AIは、このような学習プロセスを数式で表現したものです。

とはいえ、果たして現在のAI、つまり第3世代AIは、このような試行錯誤により新しい手段の発見をできるようになったのでしょうか。これについては、まずは実際にリアルな実例をご紹介するのがいいと思います。

**図11**

子供が積み木で遊ぶ時の「強化学習」のプロセス
アクション
積み木を
積み上げようとする
?
状況認識
失敗。何度か試行錯誤を
繰り返す
報酬
成功。大人が喜ぶ
!
仮説立案
さらに上手に積み上げる
ための方法を考える

## ＡＩによるコントロールの実例

ここで紹介するのは、三段水槽の水位を強化学習ＡＩでコントロールした実例です。子供が積み木遊びを学んでいくのと同じように、何も知識を持たない子供のようなＡＩが制御方法を学んでいく過程がよく分かりますので紙面を割いてご紹介したいと思います。図12（Ｐ82）のように、３つの水槽が穴を使ってつながっています。各水槽の水は重力によって次第に下の水槽に移り、一番下の貯水タンクに流れていきます。貯水タンクに溜まった水はポンプで一番上の水槽３に戻されて水が循環する、という簡単なシステムです。ポンプから戻される水量は、途中に設置されたバルブ(弁)を手動で開け閉めすることによってコントロールすることができます。

三段水槽制御のゴールは、図中の水槽1の水位をある位置で固定するというものです。バルブを開閉することで、貯水タンクからの還流量を調整し、水槽1を指定された水位に止めるという課題です。これは、制御を学ぶ大学生の学生実験でよく使われる教材です。一見、簡単な制御に見え、人間でもバルブの開閉でゴールを達成できるように見えますが、実際には人間ではまったくうまくいきません（そして、この制御をうまく行えるＰＩＤ理論と呼ばれる制御理論を学び、その理論の強力さを痛感するというのが目的の学生実験です）。

まず、最初に強化学習ＡＩにバルブをコントロールさせたのが図13（Ｐ82）です。

２つのグラフのうち、上のグラフは、目標とする一番下の水槽の水位の変化です。また、下のグラフがバルブの開閉度を表しています。上に行くほどバルブを大きく開け、下に行くほどバルブを絞った状態となります。横軸は時間です。

最初、強化学習ＡＩは三段水槽に対する知識を一切持っていません。そのため、強化学習ＡＩは下のグラフのようにバルブを最大まで開きました。その結果、上のグラフのように水槽の水位は最上位まで達し、１回目の試行錯誤は終了しています。まったく制御できていませんので失敗です。子供が初めて積み木を触った時のような、単純な失敗となります。この「失敗」という結果を強化学習ＡＩに「マイナス」の報酬として伝えます。

こうして、強化学習ＡＩに20回ほどバルブを開けたり閉めたりの試行錯誤を行わせると、徐々に水槽水位を変動させる手段を獲得します。図14（Ｐ84）は20回の試行を行った後のＡＩの挙動です。

## 図12

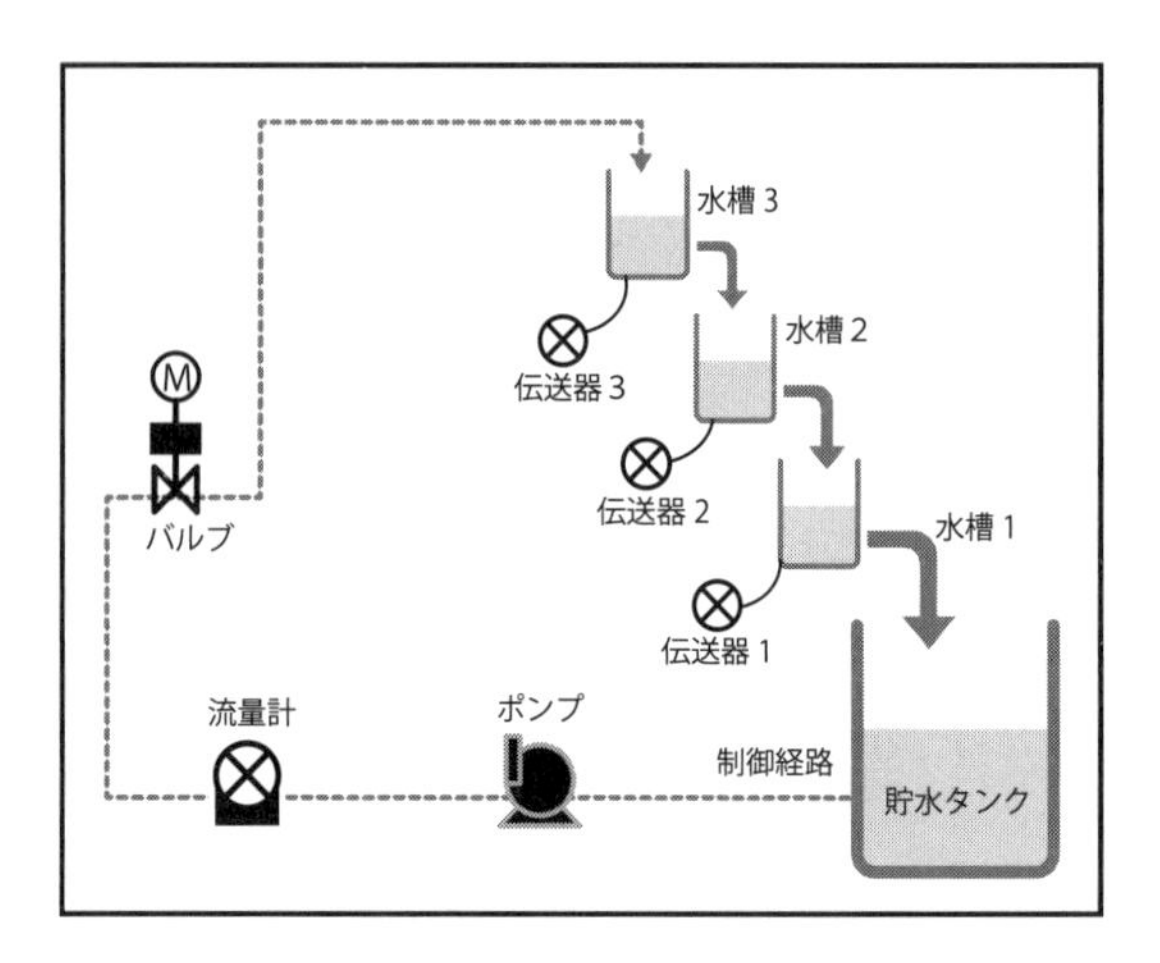
水槽 3
水槽 2
伝送器 3
伝送器 2
水槽 1
バルブ
伝送器 1
流量計
ポンプ
制御経路
貯水タンク

## 図13

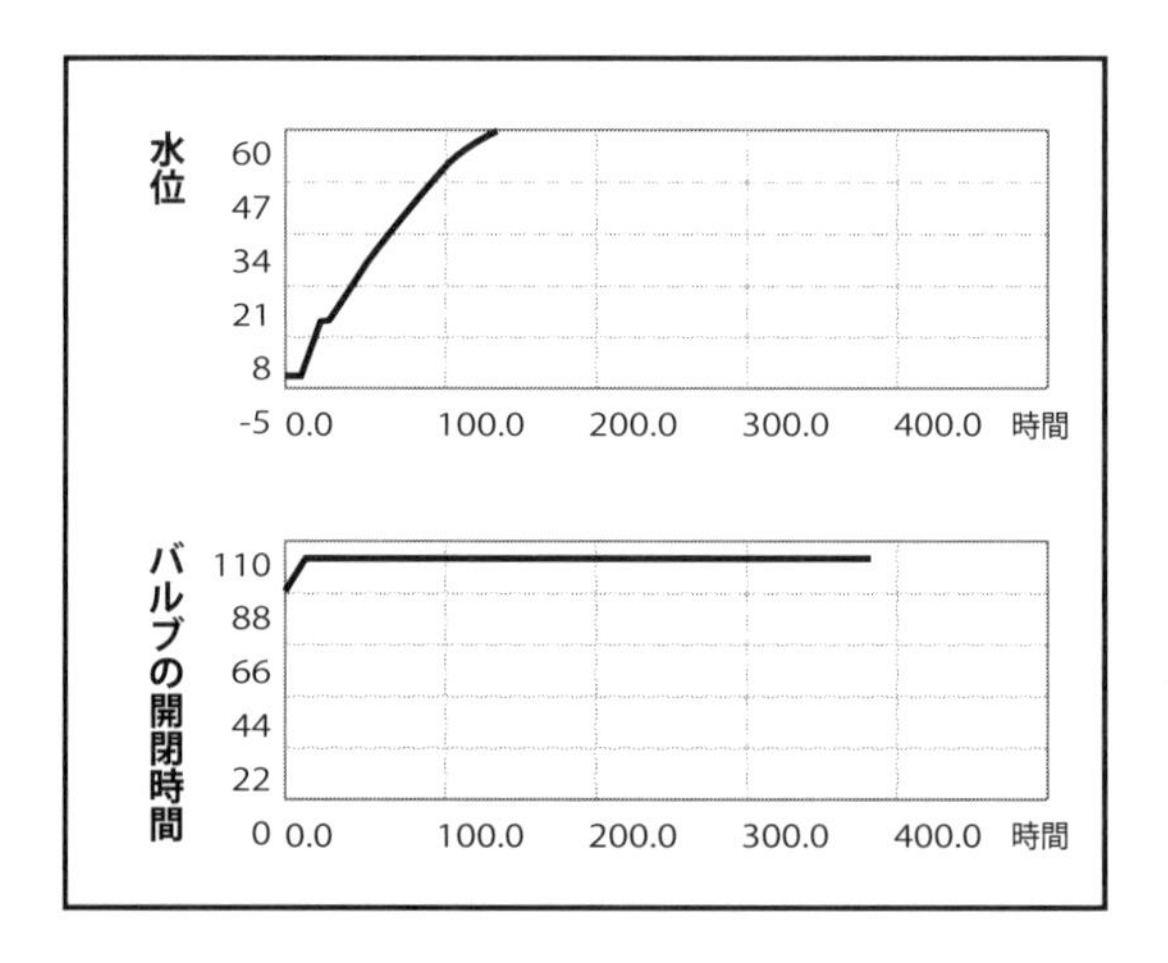
水位
60
47
34
21
8
-5
0.0
100.0
200.0
300.0
400.0
時間
バルブの開閉時間
110
88
66
44
22
0
0.0
100.0
200.0
300.0
400.0
時間

まず図14（Ｐ84）のグラフを見ると、ＡＩがバルブを開けたり閉めたりしているのが分かります。その結果、上のグラフのように水位が上がったり下がったりしています。ＡＩはこの段階で、バルブの開け閉めにより水位の上昇・下降がコントロールできることを学んだことになります。図13（Ｐ82）の1回目の試行に比べるとずいぶんゴールに近づきましたので、ＡＩには徐々に高い報酬が与えられます。

ＡＩは懸命に水位を安定させようと（ＡＩ思考でいうなら、より高い報酬を得ようと）してバルブを開け閉めしていますが、図14（Ｐ84）では依然として水位が安定していないのが分かると思います。上のグラフで上下している水位を安定させるのが本実験のゴールですので、まだ上手な制御方法を見つけられていません。

余談ですが、学生実験で学生が手動操作で三段水槽の制御を行った場合、上手に行える学生であっても達成できるのはこのレベルです。逆にいうと、強化学習ＡＩは20回の試行錯誤で「大学生と同じレベルのスキル」を獲得したといえます。

その後、続けて5回の試行錯誤をＡＩに行わせました。ここでＡＩは重要な知識を獲得します。図15（Ｐ84）をご覧ください。ＡＩは、バルブの開け閉めの量を徐々に減らしていくことで（下のグラフ）、水位が徐々に安定していく（上のグラフ）ことを発見してい

## 図14

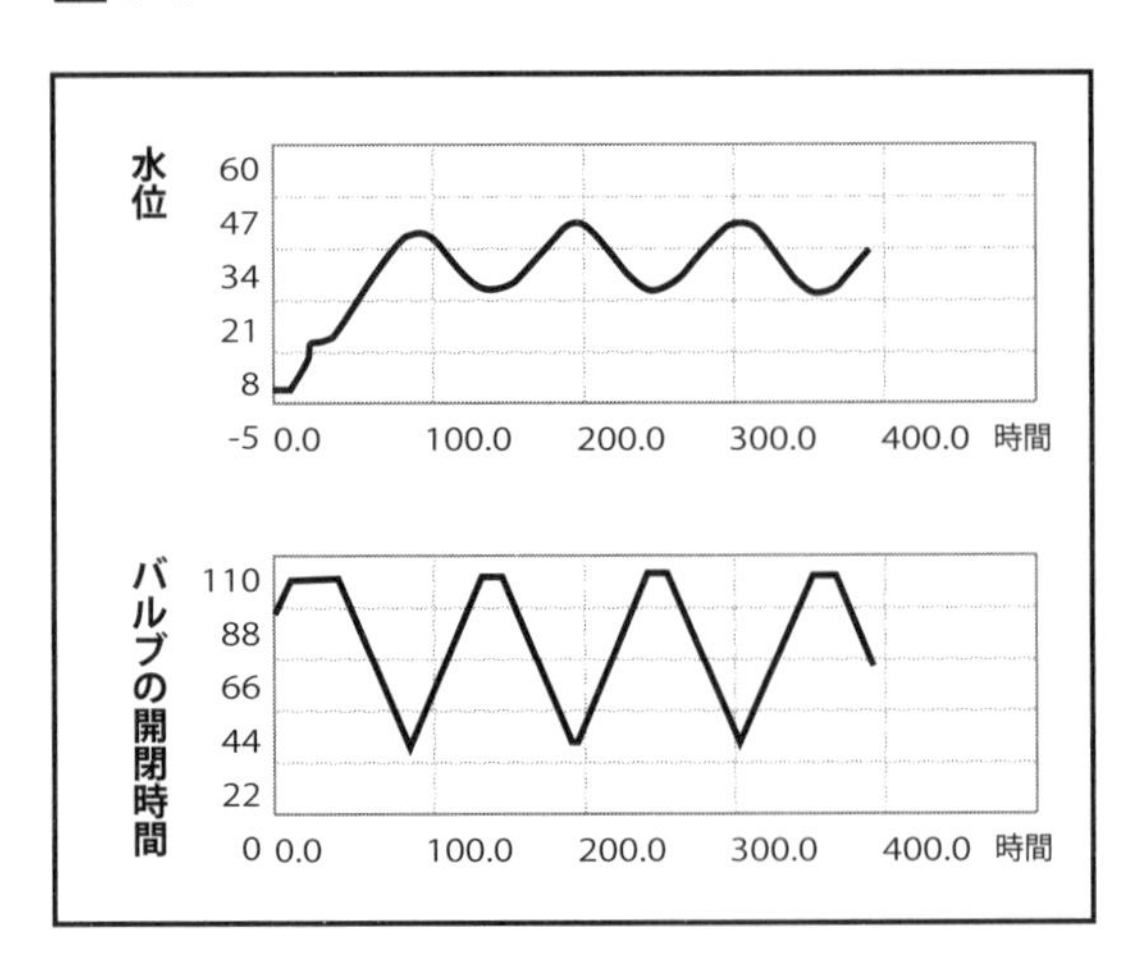
水位
60
47
34
21
8
-5
0.0
100.0
200.0
300.0
400.0
時間
バルブの開閉時間
110
88
66
44
22
0
0.0
100.0
200.0
300.0
400.0
時間

## 図15

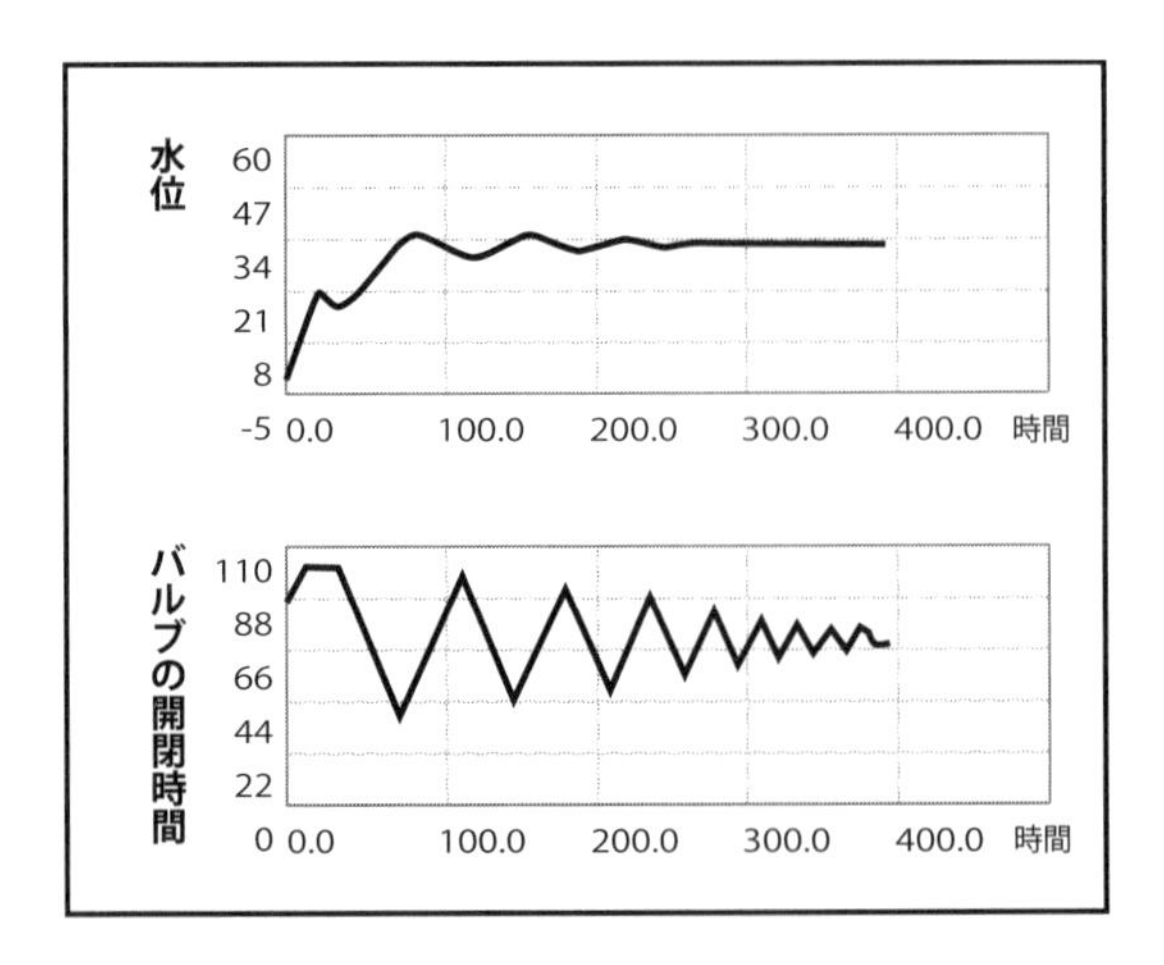
水位
60
47
34
21
8
-5
0.0
100.0
200.0
300.0
400.0
時間
バルブの開閉時間
110
88
66
44
22
0
0.0
100.0
200.0
300.0
400.0
時間

ます。つまりＡＩは、水位を目標値に収束させる方法を学んだということになります。

この段階でのスキルは見た目以上に高度です。例えば学生が手動でバルブの開け閉めの量を徐々に減らしていったとしても、一定の水位に近づけることは至難の業です（水位が上がりすぎたり下がりすぎたりします）。ＡＩは、開け閉めの量をどれくらい徐々に減らせば良いのか、及びそのタイミングをこの段階で学んでいます。これは、実際にやっていただくと分かりますが、人間にはほぼ不可能です（何人もの人にこの実験を実際にやってもらったのですが、図15（Ｐ84）のような安定制御に成功した人を筆者は見たことがありません）。このことはつまり、強化学習ＡＩは25回の試行錯誤によって、通常の人間の能力を超えたということになります。

こうしてＡＩは水位を変化させ、さらに水位を安定化させる手がかりを学習しました。ＡＩは、一旦解決の手がかりを見つけると、急速に最適化・最大化できる能力を持っているという特徴があります。つまり、最適化の学習スピードが極めて速いということです。さらに続けて５回の試行錯誤を行った時のグラフ図16（Ｐ87）をご覧ください。

いかがでしょうか。25回目までの試行で得られた手がかりを使って、最速の、つまり報酬が最大になるような最適化を行った結果が図16です。

30回の試行錯誤を行った後の水位コントロール（図16）は、ほぼ完璧な収束度と、その収束速度となっています。これ以上の最速制御は物理的に不可能なレベルまで最適化を行えています。その時に行ったＡＩの制御（下のグラフ）はどういったものかというと、まずバルブを最速で全開し、あるタイミングでバルブを最速で閉じ、その後微調整をすることで水位を目標水位にピタッと止めているのが分かります。この時ＡＩに与えられる報酬はＭＡＸとなります。

30回目の試行でＡＩがどのような制御を達成したのか例えてみましょう。運動場に白線が引いてあり、あなたは車を運転してその白線のところで車をピタッと止める必要があると思ってください。人間がこれを行おうとすると、アクセルを踏んでから徐々にブレーキをかけて、白線に合うようにピタッと止める、となると思います。一方でＡＩが発見する制御方法は、最初にフルアクセル（アクセルペダルをべた踏み）し、あるタイミングで今度はフルブレーキング（ブレーキペダルをべた踏み）し、白線でピタッと止めたということになります。このような車の制御が、白線で車を止めるための最速の制御であることは直感的に理解いただけるのではないかと思います。また、人間では無理だということも。この、理論上最速制御の方法を、ＡＩは三段水槽に対してゼロから見つけ出したということになります。

現時点での制御ＡＩの力を理解いただけたでしょうか。本章でご紹介したＡＩのうち、既に人間の能力を超える実力をつけているのは、カテゴリ１とカテゴリ４のＡＩだけです。

## 図16

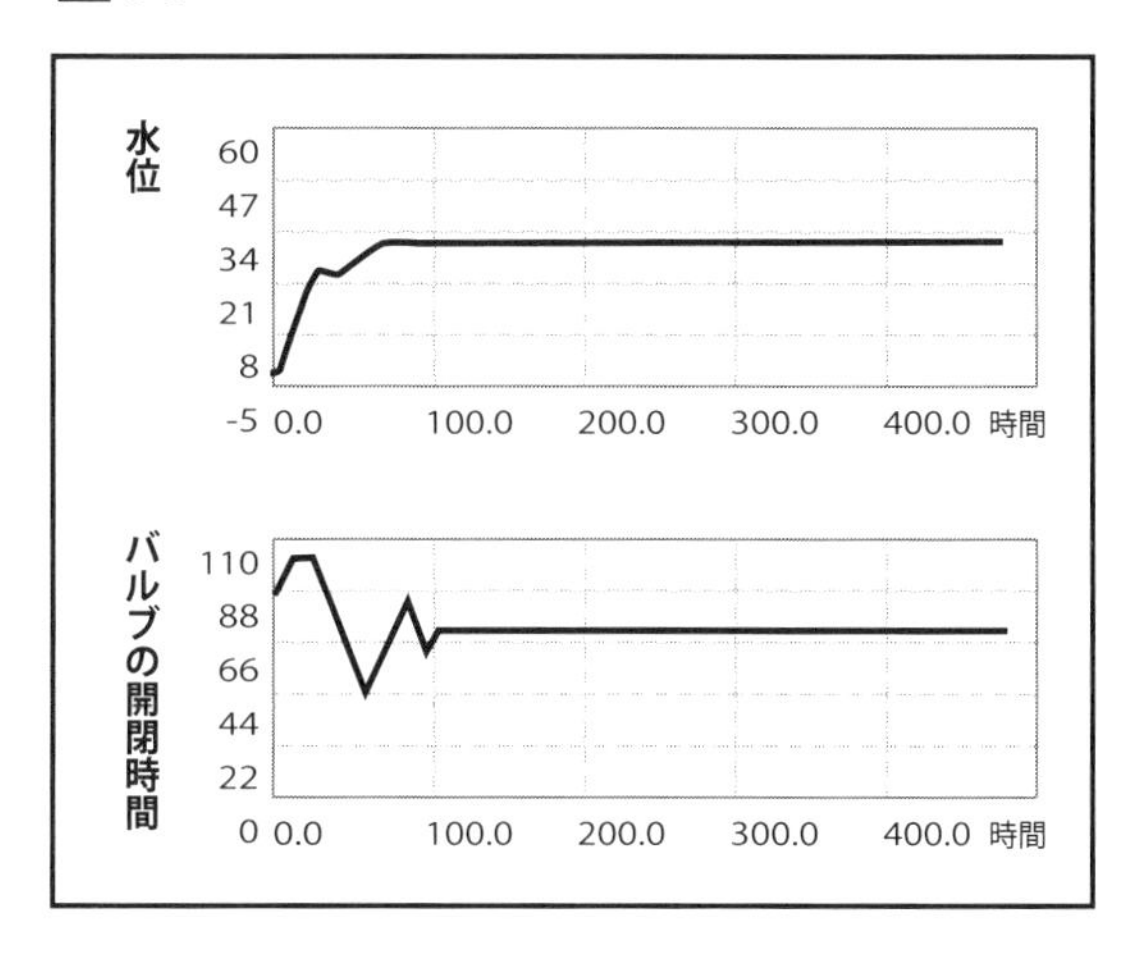

三段水槽をコントロールできる既存の理論にはＰＩＤ制御というものがあります。非常に広くプロセス産業に使われている技術であり、今なお改善が進んでいる強力な理論です。ＰＩＤを使った制御の典型例と制御ＡＩの結果を並べたものが下記（図17）のグラフとなります。

ＰＩＤのチューニングを厳密に行えば、このグラフの２つの結果は同じものに近づきますが、あくまで人手による介入を最小限にした場合のＰＩＤと制御ＡＩの結果の比較とお考えください。

左上グラフのＰＩＤによる水位制御例は、オーバーシュートという現象が見えます（水位の上昇が勢い余って行きすぎている部分）。それに伴って、水位が安定化するまで２倍ほど時間が伸びています。一方、制御ＡＩにはオーバーシュートは見られません。

ＰＩＤをよくご存じの方には本来ＰＩＤは最強の制御方法であり、最良の最適化制御をしているはずなのに、なぜＰＩＤはＡＩ制御と同等の制御方法を見つけられないのか、なぜこの２つの差が生まれるのか、不思議に思われる方も多いと思います。

**図17**

PID 制御例（水位）

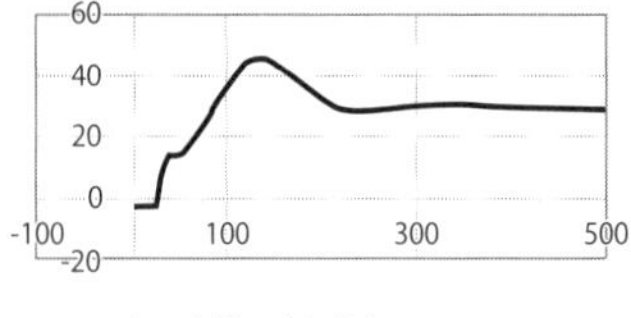


PID 制御例（バルブ）

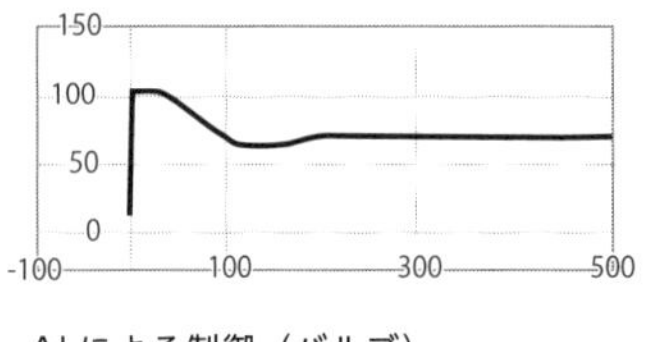


AI による制御（水位）

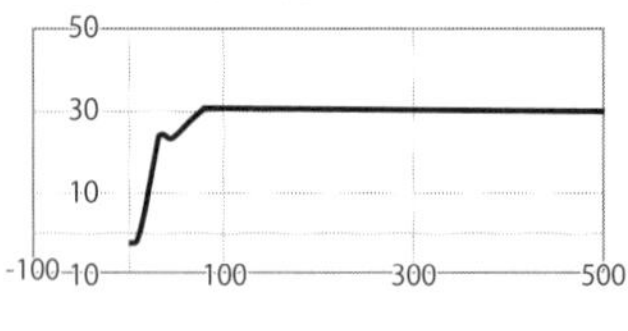


AI による制御（バルブ）

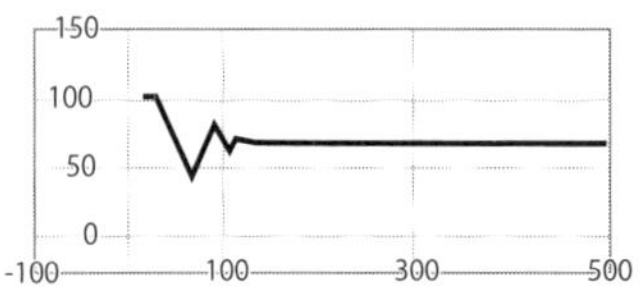

PIDは微分・積分方程式の解から導かれる最良の最適化制御なのは間違いない事実です。そこに議論の余地はありません。しかし、あくまで「ラプラス変換を用いた微分・積分方程式の解」という制限の中での話です。具体的にいいますと、PIDによって求められる制御解は、「微分可能で滑らかな解」の中での最適解です。結果としてPIDのバルブの開閉は比較的緩やかな動きとなります。

一方AI制御のバルブ操作は、フルアクセル・フルブレーキという極端なもので、アクセルとブレーキの切り替えのところはグラフが尖っていて、微分可能な制御解ではありません。つまり、ラプラス変換の解の外なのです。これが、ラプラス変換によるPID制御がAIの最適制御解を見つけられなかった理由となります（人手によるファインチューニングを施せば、PIDでも近い制御は得られます）。

フルアクセル・フルブレーキによる制御は、研究者の間では俗に「ドンドンパ制御」（日本語）と知られているもので、AIが何かまったく新しい発見をしたわけではありません。しかし、三段水槽の制御がドンドンパ制御で可能なのかどうかは最初から分かっていたわけではありませんし、それを技術者が調べるのも大きな徒労になることが多いことから、研究者がまじめにドンドンパ制御を研究する動機はないのです。ところが制御AIは30回という試行錯誤の末に、とにかく報酬を最大にすることだけを目指して制御方法を探求し、その結果、ドンドンパ制御にたどり着きました。

AIによる制御の利点の1つは、状況に応じてこのような「人間の定石外・常識外」の手法を探求するというところにあります。常識外の手法の発見は、これまでの人類の歴史の中でも生まれてきましたが、それにはある種の天才の登場を待つ必要がありました。制御AIは、科学技術の進歩の中で、この風変わりな「天才」の役目を担っていくのかも知れません。

## AIと人間のプラスサムゲーム

本例は製造現場の例でしたが、強化学習AIの重要な特徴の1つは、AIがもともとのバックグラウンド知識を持たなくとも〝最適化の方法を自律的に見つける〟ところです。つまり、試行1回目の図13（P82）をご覧いただければ分かる通り、AIは最初はまったく知識を持っておらず、従って自律的に学習するしかありません。裏を返せば、強化学習AIはどのような制御にも対応できる可能性があるということで、例えばサプライチェーンの在庫コントロールやSDGsのCO2排出量の最適化であっても、同じ強化学習AIが使える可能性があります。

強化学習AIは、使用するデータが何であるかを想定していません。この、あらかじめモデルを持たない点を強みとしての応用範囲が極めて広いということです。このような特徴はカテゴリ1~3のAIは持っていないことからも、カテゴリ4のAIは最新技術としての強いポテンシャルを表しています。

囲碁AIの例に戻りますと、AlphaGoの強化学習AIが作られた過程では、最初は囲碁の定石やプロ棋士の棋譜データをＡＩに組み込んでいます。その後、ＡＩ同士の対戦を繰り返した結果、人間を超える能力を獲得しました。人間による囲碁の定石をＡＩに取り込んでいるという点で（これはヒューリスティックと呼ばれます）、AlphaGoは、まったくの知識無し状態からの強化学習ではありませんでした（その後のAlphaGo Zeroという強化学習は完全にスクラッチからの学習を行っています）。

このような囲碁ＡＩの進化は、既存の定石をＡＩが学び、そこからまったく新しい囲碁の定石を作り出しました。以前は悪手とされていてプロが避けるような着手が、結果的には最善手だったというようなことが、人間とＡＩの対局では頻繁に起こっています。そのようなＡＩの自由な発想をプロ棋士も学び、新定石の研究が進むことによって囲碁界は新たな時代に突入しました。これは、ＡＩとプロ棋士の「プラスサムゲーム」といえるでしょう。つまり、研ぎ澄まされたプロの技の上にＡＩが作られ、そのＡＩが作り出した新しい定石をプロが学び技術を深化させていくというプロセスです。

日本の製造業のＡＩによるプラスサムゲームは、この囲碁と同じようなプロセスをたどると思います。つまり、研ぎ澄まされた現場の従来手法やＳＣＭ・ＳＤＧｓの最新技術の上にＡＩが新しい常識を生み出し、そのＡＩが作り出した新しい常識を人間が再び学び、研ぎ澄ましていく。日本の製造業の強みであり特色である、「研ぎ澄まされた技術」と「研ぎ澄ますための不断の努力とそれを続けられる文化的背景」は、特にカテゴリ３と４のＡＩとのプラスサムゲームに極めて有利に働き、国際競争力を持つ差別化要素を作り出すことが可能と考えます。

## 強化学習の日本の製造業への適用

ここからは、では実際にカテゴリ４のＡＩを、日本の製造業の強みを生かして国際競争力を持つようにするために、どこに適用していくのがいいかを述べていきます。それは次の２つとなります。

**①　これまでの不断の努力により改善が進められ、改善効果がほぼ飽和している部分**

**②　これまで改善手段が不明で、放置されている部分**

①と②は相反する部分に見えますが、どちらも日本の製造業の強みを生かせる部分です。

①の不断の改善努力は、本書で何度も述べている通り日本の製造業の特色です。製造現場はもちろんのこと、サプライチェーンのマネジメントや省エネ努力等、様々なアイデアや工夫のもとに最適化が進んだ部分となりますが、特に世界と比して最高水準に到達しているエリアが、カテゴリ4のＡＩの適用部分として望ましいと考えられます。つぎ込まれる努力に比して改善効果が飽和している技術分野へのカテゴリ4、つまり制御ＡＩの適用を考えます。

先述の囲碁のＡＩを見ると、棋士の不断の研究により研ぎ澄まされた囲碁の定石の中では、定石から外れた一手は、改善よりも逆にマイナスの効果が生まれることがほとんどです。よって定石に沿った研究が進みますが、やがて進歩は飽和し、緩やかになっていきます。そんな中で囲碁ＡＩが放った定石外の妙手は、棋士の常識の枠を完全に取り払い、新たな研究材料となっています。そして再び、棋士の不断の努力により、進化が進んでいるわけです。

囲碁ＡＩによる、静かな水面に投げ入れられた常識外の手のインパクトがポジティブな効果を生んでいるのは、２つの要素が大きいと考えられます。１つ目は、既存の定石が作られる前の不断の努力、つまり極めるところまでたどり着いていた技術レベルです。もう1つは、ＡＩが常識を取っ払った後に、再び棋士が不断の努力によって研究を進めた点です。研究が研ぎ澄まされた分野であればあるほど、常識外の妙手のインパクトは大きな進化を生みやすく、また不断の努力という強い意志によって効果が増幅されていきます。日本の製造業はこの2つの要素を兼ね備えており、カテゴリ4のＡＩは大きなインパクトを作れる可能性が高いのです。

カテゴリ4のＡＩにはもう1つ日本の製造業に対して必須の要素が含まれています。既存技術による最適化のレベルが非常に高い日本の製造業では、新しい技術の導入に対して、経営及び現場の双方の抵抗が強いことがあります。まず経営に関しては、一般論として、失敗の可能性のある新技術は導入リスクが高く、投資を躊躇する傾向があります。これは既存技術の延長による改善が確実な利益を生み続けてきたため、より着実な成果を求める成功体験に根差しています。また現場も、これまでの高度な改善技術の積み重ねとその実績への自負が強く、新技術の安易な導入に躊躇するのは理解できます。これらが日本の製造業の強みであることは間違いなく、安易に否定されるべきことではありません。

しかし、このような状況の中で、カテゴリ４のＡＩで突破口を見い出せる可能性が高いと思われます。理由としては、カテゴリ４のＡＩはＡＩ自身が自律的に回答を見つけるため、貴重なリソースである現場のトップ技術者のリソース投入が控えられること（人的コスト面）と、また得られる成果が経営上の数字として数値化しやすい部分であり、経営陣の理解を得やすく、また同時に地に足の着いた結果を得られる技術として現場の理解と興味も得やすいという側面があります。

②の「これまで改善手段が不明で、放置されている部分」に対してもカテゴリ４のＡＩ適用は有望です。匠をもってしても改善手段が不明ということは、その問題が人間によるモデル化がしづらい複雑な依存関係を持っていることを指します。それ以外にも、例えばバイオリアクター等の本質的に数式モデルが作りづらいエリアも含まれます。②は日本だけでなく万国共通の課題ですから、日本はファーストムーバーとして差別化要素発見を目指していくことになります。

ここまで紹介したカテゴリ４のＡＩはまだ発展途上です。導入にあたっての困難が少なからず見込まれ、文字通りチャレンジとなります。ですが、このカテゴリのＡＩは日本の製造業の強みや特徴を生かしやすいという面で、また国際競争の先頭に立てる可能性があるという面でも、今後注力するべきＡＩのエリアなのです。

### カテゴリ4のＡＩのまとめ

●制御ＡＩがカテゴリ4
●これまでの高度な改善実績を実現した定石に対して新しい定石を作り出し、進化を進められる特徴を持つ
●日本の製造業に見られるこれまでの不断の改善努力の結果と、それをさらに推し進めようとする文化的側面は、カテゴリ4のＡＩの特徴に適合している。日本の製造業の差別化要素を生かし、国際競争力を高めるために有望と考えられる

# 第3章

# 製造業AIによるシンギュラリティ

PLUS-SUM GAME

## 最適化の対象が変わる日本の製造業経営

製造業経営の基盤となっている製造現場への投資は、日本では複雑な局面を迎えています。欧米のコンサルタントがよく使う「キャッシュカウ」という製造現場の分類は成長の機会がないという意味で使われます。投資というよりもコスト削減の対象になることが多く、その削減で浮いたコストは「ホームグラウンド外でのイノベーション」に投資されるのです。しかし、製造現場のイノベーションがホームグラウンド外でのイノベーションよりも劣っているという考えは単純すぎて、明らかに間違い（文献Ｅ）です。

一方で、既存の製品ラインの改善に投資することが「乾いた雑巾を絞る」ことだとすれば、投資へのリターンは限定的になります。

この状況で、日本の製造業の経営者と製造現場がプラスサムゲームを行うには、技術革新以外にはありません。この章では、ＡＩの日本の製造現場にもたらすプラスサムゲームについて論じたいと思います。ＡＩの登場は、「製造業の判断と改善の哲学を変える」という点において、特に日本の製造業には大きく2つの重要な影響を与えます。

まず、最初に速い経営判断及びバリューチェーン全体への即時の適応について考察したいと思います。

これまでの日本の製造業は、工場内はもちろん、会社内での最適化をとことんまで突き詰めてきました。例えば不良品をどこまで減らせるか、在庫をなくすための生産計画をどのように立てるか等、自社内での最適化を徹底的に行うことで品質を極め、販売力を極め、コスト競争力を極めてきたのです。それが日本の製造業の強さでした。

徹底した最適化がもたらしたこの強さは、実は自社を取り巻く環境が比較的安定していることが前提でした。外部が安定していることで内部の最適化に注力できたのです。ところが今、この外部の環境が非常に不安定になっています。

需要の低迷や燃料・原料価格の高騰、サプライチェーンの分断、為替の変動等の不安定要因が日々報じられています。

こうした外部環境の変化が非常に大きい社会では、経営判断が後手に回りがちです。一方で、これまで手付かずであった経営判断の迅速性を高めることは日本の製造業にとって大きなチャンスでもあります。

迅速な経営判断で重要となるのは、

①　各種のＩＴ・ＯＴデータと財務諸表との関係
②　異変の早期検知
③　財務諸表上に表れる、望む結果を得るための計画立案
④　仮にアクションを取った時に何が起こるのかのシミュレーションと決断

です（下図18）。

## 図18

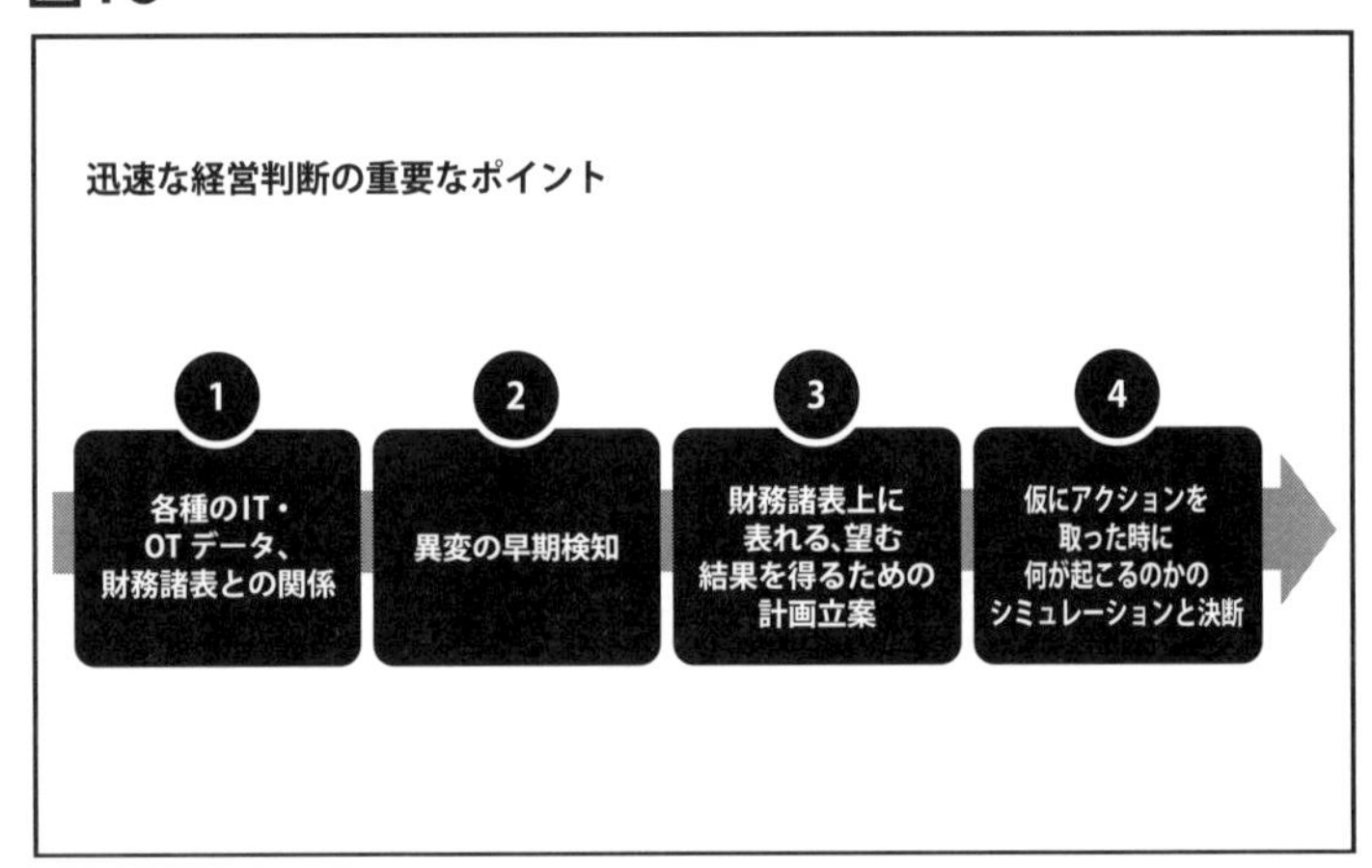

## 経営判断を迅速化するためのＡＩ導入

これまで①〜④は、主に人力によって処理されていました。時間と労力がかかるため、刻一刻と変化する状況に即座に対応するのは非常に困難です。その結果、経営判断が後手に回ってしまうのです。①〜④のアクションスピードをさらに上げてほしいと担当部署に頼むことは可能ですが、恒常的な対応には人的リソースの増強が不可欠です。人材補強がままならない状況では結果として現場に大きな負担をかけることになります。もちろんＡＩを本格的に導入すれば対応は可能でしょう。しかし、単にマンパワーを補うためのＡＩ導入ではコストが見合いません。重要なのは、経営上どれくらいの迅速性が要求されるかの見極めです。

例えば四半期ごとの計画見直しで良いのであれば、ＡＩ導入のコストパフォーマンスはあまりよくないと思います。しかし、もしも1週間というような短いスパンでの経営判断が必要となれば、ＡＩ導入による迅速化は計り知れない結果を生むでしょう。まずは、1週間や1か月で経営判断ができたとしたら、財務諸表上にどれくらいの効果が表れるかを見極める必要があります。

この部分は業種によって大きく変わります。例えばサプライチェーンがグローバルに展開する等海外依存の高い企業であれば、大きな効果が得られます。一方で、安定した国内のサプライチェーンが中心の場合には、その効果はさほど大きくありません。

ここで一般論として申し上げられるのは、最新技術の導入を素早く行う企業はより生産性が高まる可能性が高いということです。海外競合会社の最新技術の導入は非常に素早く、こちらがゆっくり構えているとあっという間に追い越されてしまいます。

スピード感のある経営判断はビジネス伸長の基礎となるので、最新技術を導入した時のリスクと、一方で導入しなかった時のリスクの両方を見極めて判断することが肝心です。以後は、①〜④に最新技術（ＡＩ）を導入すると仮定して、その具体的な効果を説明していきます。

①の「各種のＩＴ・ＯＴデータと財務諸表との関係」については、現在の財務諸表が主にＩＴデータを使って作成されることを考えると、一見、改めて見直す必要はないように思えます。表面に表れるデータ（在庫量や売り上げ等）はその通りですが、実はこれら

のデータを作るために使われる1次データにこそ正確な経営判断の情報が存在します。しかしながら、例えば総売り上げではなく、製品・地域・業種・顧客といった細分化されたデータそれぞれにシステマティックで迅速な施策を打つことは、経営者から見ると難しいものです。理由は、細かすぎて担当者しか事情が分からない、あるいは担当者も事情を分かっていないというケースですが、それは往々にして起こるものです。

一方で、1次データを分析しようとすれば膨大な人的工数がかかりますので、すべてのデータを包括的に俯瞰することは一般的には行われず、またたとえデータがあったとしても、それを読み解ける人材がいるかどうかは別の問題です。

最新技術であるＡＩを①の部分に導入することは、この点を改善します。データ内のノイズを自分で取り除きながら、大きな俯瞰図を自動的に作るのがＡＩの力です。簡単にいえば、人がExcelデータをにらみながら見つけたデータの関係性を自動で見つける能力です。

図19（Ｐ１０４）は、実際の製造・受注等のデータを使って、ＡＩが受注と製造の関係をモデル化し、違和感を検出した一例です（実際のデータとは異なります）。横軸は時間

です。グラフでは製造・受注等の細かいデータが重ねて表示されています。縦の帯の部分はＡＩが通常の受注・製造状態とは異なる挙動を指摘した区間を表しています。これらの区間は、有識者がじっくりとデータを分析すれば見つかるものですが、少なくとも有識者がどこを集中的に見れば良いかを判断するための重要なヒントになります。ＡＩを使えばさらに大規模なデータに対する分析も可能となるでしょう。

次に②の「異変の早期検知」は①ができてしまえば簡単です。ＡＩが見つけ出したデータ関係性に対して、リアルタイムのデータが異なる挙動を示した時が異変の始まりです。人間が毎日データ全体を俯瞰することは不可能ですが、ＡＩならば

## 図19

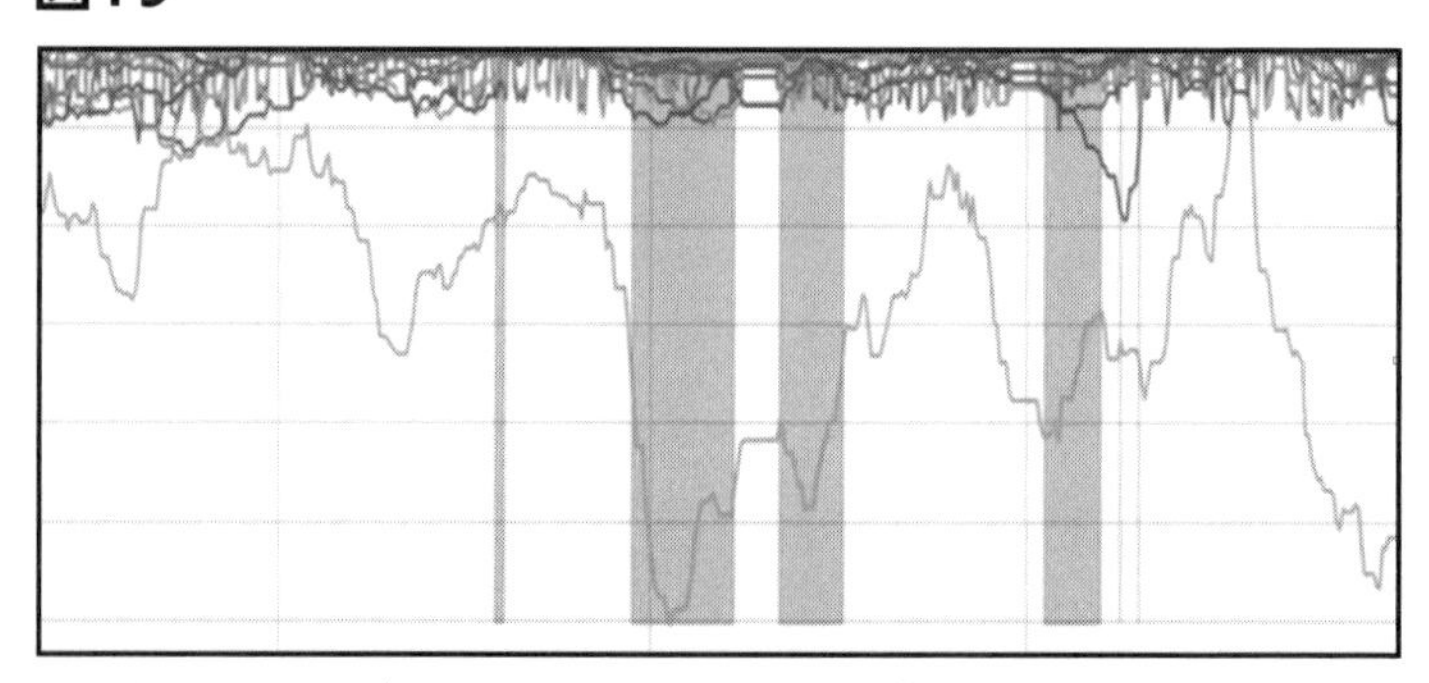

縦の帯はＡＩが通常の受注・製造モデルとは異なる挙動と判定した区間

24時間365日の監視が可能です。

③の「財務諸表上に表れる、望む結果を得るための計画立案」ですが、これは2つのAI要素で構成されます。

まずは②で異変が感知された時にどのような結果が財務諸表に表れるかの予測です。第2章で述べた通りAIによる予測（カテゴリ2）は精度が千差万別ではありますが、目的に合ったAIを選べば正しい傾向を掴むことができます。しかし、予測を手に入れただけでは現場は動けません。

例えばある製品の売上減がAIで正確に予測されたとしても、営業・製造現場へのアクションが「売り上げを上げてほしい」ではゼロサムゲームです。どのような計画を持って売り上げをリカバーするかといった計画案をいくつか示すことで、初めて現場は動くことができます。これが、経営とAIと現場によるプラスサムゲームです。

## 経営計画立案を行うAI

③で重要なのは計画立案です。売り上げの落ちた製品の製造ラインや営業リソースの稼働を下げ、それを原資として他の製品の増産計画をAIに立案させます。これができるかどうかが、AI導入によるプラスサムゲーム実現の肝となります。単に予測ができるだけでは現場の疲弊感が増すばかりで、経営と現場の距離感はAI導入によって却って広がってしまいます。

第2章で論じたカテゴリ4のAI（制御AI）が、この計画立案部分を担うことになります。第2章では主にカテゴリ4のAIの制御面について説明しましたが、実はAI制御というのは、過去の動きを見ながら将来の中長期にわたる影響を加味してアクションを決定しています。単にその瞬間の瞬時値から次のアクションを決めていては、タイムラグという概念のある制御はまったくうまくいきません。中長期にわたる変化を最良にするためのアクションを制御AIに提案させることができます。

これを本章のような受注・製造データに当てはめれば、①②で見つかった違和感区間に対して、どのようにアクションを取れば再び正常区間に戻すことができるのか、具体的な指示（例えばとあるラインの製造を減らす等）を出してくることになります。
もちろん現在の制御ＡＩの精度は１００％とはなりませんが、いくつかの指示例をＡＩに提案させてそれを有識者が検討するといったことは可能で、少なくとも有識者の負担を大幅に減らすことができるでしょう。

最後に④の「仮にアクションを取った時に何が起こるのかのシミュレーションと決断」ですが、これがなぜ必要なのでしょうか？
このステップは海外の製造業ではあまり必要とされないかも知れません。なぜなら③で計画案が示されれば、その通りに実行される（たとえ腹落ちしていなくとも）からです。一方、日本の製造業の場合、計画変更が効果的である理由を示すこと、つまり現場の腹落ち感が成果に結びつくため、シミュレーションは非常に重要です。従って、日本の製造業が持つ強みを遺憾なく発揮するために、④は欠かせないステップとなります。ただし、③のＡＩによる計画案への信頼度が上がってくればこの工程は不要となります。

以上の①～④のステップは、当面は計画変更承認プロセスを通しての（例えばスタンプラリー）運用となると思いますが、信頼度を見極めながら承認プロセスを簡略化していけば週単位での計画変更も可能となり、素早い経営判断を下すことができるようになります。

さて、①〜④で製造計画がＡＩにより迅速化した近未来には何があるでしょうか。それは経営のリアルタイム化です。財務諸表を作るデータソースとなるＩＴデータ（受注情報等）と、その根拠となるＯＴデータ（製造情報等）が統合され、ＩＴデータ上の方針（×地域の受注を増やす等）をベースにＯＴデータ上のコントロール（どの製品の製造・在庫を増やすか等）をＡＩによって自動でリアルタイムに行うことが可能となるでしょう。このようなリアルタイム化は、既に住宅ローン等のFinTechと呼ばれる分野では一部実現しています。また製造業でもサプライチェーン周辺のリアルタイム化は既に進んでいます。パズルの最後のピースは製造現場のデジタル化（デジタルファクトリー）になると考えられます。

迅速な経営判断は多くの日本の製造業の悩みと考えられます。最新技術無しでスピードを上げようとすれば、無理に無理が重なって現場が疲弊しかねません。経営と現場、そしてＡＩのプラスサムゲームを生かし切ることが、ここでは重要となってきます。

## 人にやさしく誇りを持って働ける製造業現場を目指して

製造現場のことは現場に任せているという経営者の方も多いと思われます。製造効率の向上等の工場・プラントに特化した最適化については、現場に任せることはまったく問題ありません。ここで経営が把握する必要のある現場の状況は、その疲弊度です。

日本の製造業はこれまで、現場内の最適化で国際競争力をつけてきました。品質の最適化や工数・コストの最適化です。ただし本書で何度も指摘した通り、現在の製造業を取り巻く状況はとても不安定です。材料の調達から部品や製造方法の度重なる変更、それに対応しつつコストを維持することは、現場を追い込み疲弊させます。また日本の製造業の場合は過去の成長期に導入された製造装置の老朽化が進み、それを補うマンパワーの投入も疲弊を増長させます。これらの課題を身をもって解決してきた世代が徐々に卒業を迎えているという人材の問題も見逃せません。

経営にとって、現場の疲弊感を測定するのは難しいことです。財務諸表に表れにくいため表面化しないケースも多く、この点を考慮せずに経営目標からくるコストダウンを目指すと、現場のモチベーションや成果が上がりにくい状況が発生します。一方で、人的リソースの追加やコスト目標の緩和は経営判断から許されないケースも多く、難しい問題です。ただしこれらは、おそらく日本の製造業に限っては解決できる問題だと考えます。具体的には、経営陣の持つ現場への考え方を、従来の「キャッシュカウとしてコストを下げてくれ」から「人にやさしく誇りを持って働ける、を実現しよう」とすることです。

このメッセージには、現場の効率化のような無機的な要素はありません。また、粘り強く仕事に向き合う日本人の気質には極めて有効です。現場のモチベーションも上がるでしょう。もちろん、人的リソースを追加せずにどうやって「人にやさしく誇りを持って働ける」現場を実現させるかというところが肝要になりますが、その答えが今まで見つからなかったのではないでしょうか。その解答に、今最も有効なのは、「AIやデジタル技術に現場を疲弊させる作業を押しつける」です。

人の関わりという点で現場のタスクは大きく次の2つに分かれてきます（文献F）。

**①アルゴリズムタスク**

**②ヒューリスティックタスク**

## 工場・プラントのシンギュラリティ

①の「アルゴリズムタスク」は手順が決まっており、そのパスをたどれば達成できるタスクのことです。例えば「チーズバーガー」を量産するようなタスクともいえます。

ここの部分は徹底的な自動化が効いてくる部分で、ロボットの導入等が一例ですが、日本でもかなり進んでいるところです。もしも後述の「ヒューリスティックタスク」よりも「アルゴリズムタスク」のほうが現場疲弊の大きなウエートを占める場合は、この「アルゴリズムタスク」の自動化に投資し、人にやさしい（ロボットには厳しい）現場を実現していくことになります。

ここで注視したいのは、現場に緊張を強いるアルゴリズムタスクです。

例えば、臨機応変な人の目視によってしか見つけられない外観検査工程は自動化しにくかったわけですが、幸い、第２章で詳しく論じたカテゴリ１のＡＩ（目視検査等のＡＩ）の出現により、かなりの部分が緩和されました。カテゴリ１のＡＩ利用の注意すべきところに留意しながら、適切なベンダー選択とシステム導入を行えば自動化が進むと思われます。

一方、本書でフォーカスしたいのは、②の「ヒューリスティックタスク」の部分です。これは手順が決まっておらず、つまり新たに手順を探す必要があるタスクのことで、具体的な例として、効率改善のＰＤＣＡループ（図20　Ｐ１１３）があります。製造の最終成果物に品質や製造効率の問題が生じた時に、〝人が〟データと成果物を見極め、どのデータ部分に改善のキーがあるかあたりをつけます。これはおそらく現場でもかなりの経験がある人材が行っている部分だと思います。

一旦、疑問符のつくデータが見つかれば、次に行うのは〝人が〟そのデータから要因を分析し、あるいは適切な目標指標（ＫＰＩ）を見つける等して、どうすれば問題点が解決するのかを特定します。ここも、現場の経験豊富なデータ解析者が行う部分です。

最後に〝人〟が問題点の要因を回避する手段やＫＰＩを満たす制御方法を見つけます。この部分は、おそらく現場で経験を積んだベテランの技術者が非常に苦労する部分になることでしょう。こうして1回のＰＤＣＡループが回り、１つの課題が解決します。そしてさらに次の新たな改善点について、次のＰＤＣＡループが回っていくのです。

このような〝人〟によるＰＤＣＡループの問題点は、時間がかかる（半年や1年）ことです。経営の視点から見ると、大きな研究費は頭の痛い問題である一方で、技術革新の

## 図20 〝人〟によるタスク

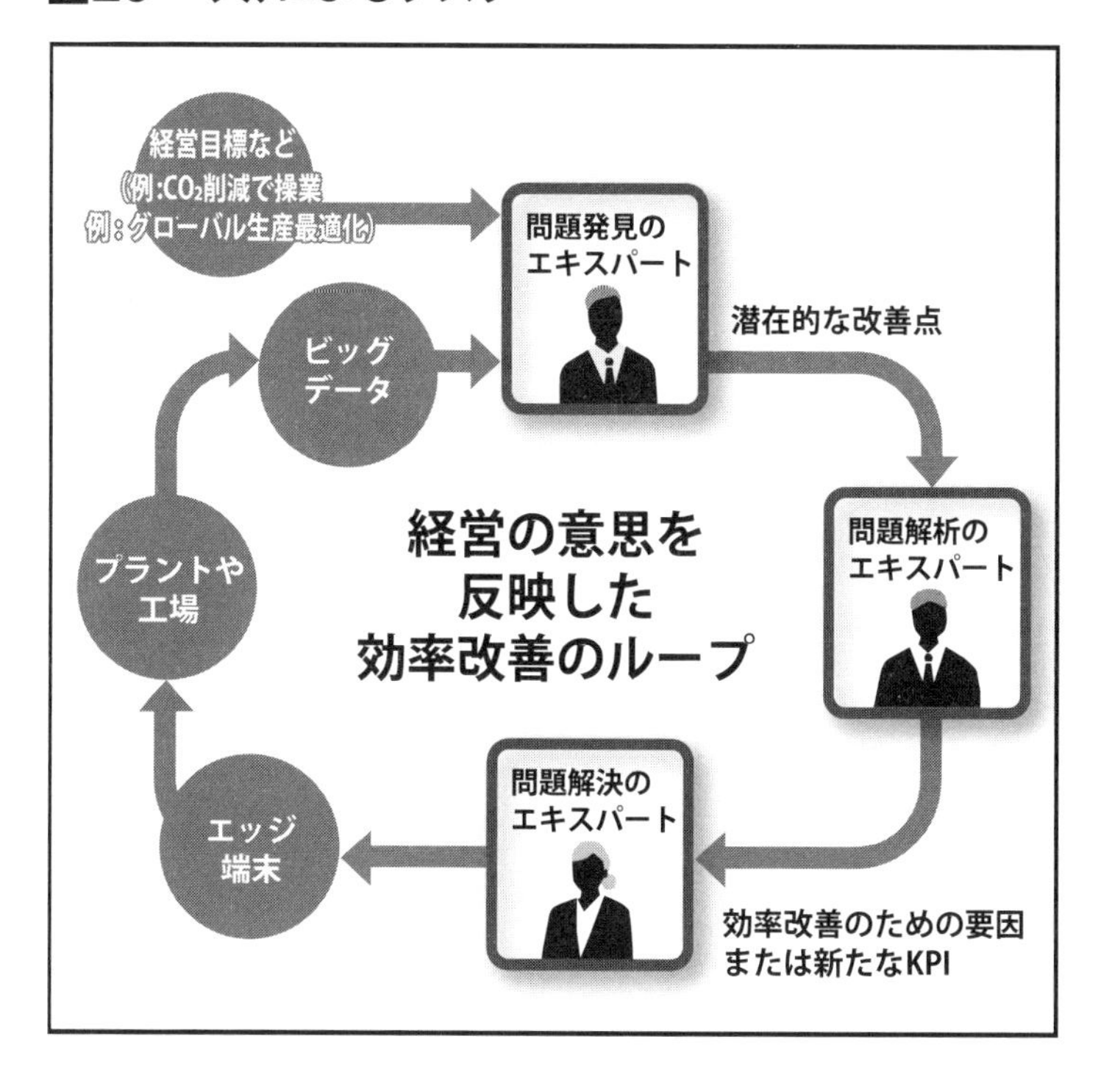
経営目標など
(例:$CO_2$削減で操業
例:グローバル生産最適化)
問題発見の
エキスパート
潜在的な改善点
ビッグ
データ
経営の意思を
反映した
効率改善のループ
プラントや
工場
問題解析の
エキスパート
問題解決の
エキスパート
エッジ
端末
効率改善のための要因
または新たなKPI

肝に当たる部分でもあり、人への投資を緩められません。また、このループの時間を短縮しようと試みる場合、人への負荷がとても大きい（例：残業）ことです。もしも問題点改善や効率改善のペースが経営の求めるスピードに追いつかない場合、現場はこういったプレッシャーによっても疲弊していきます。

このような「ヒューリスティックタスク」は従来自動化が無理と思われていました。しかし第2章で述べたようなカテゴリ3とカテゴリ4のＡＩ技術の登場により、それらを組み合わせることによって、自動化の道筋が立ってきています。

これを実現するために、図21（Ｐ１１５）のように、３つのＡＩを組み合わせます。プラントや工場から収集される全データに対し、経営もしくは現場長の方針に従って、〝ＡＩが〟疑問符のつくデータ箇所を見つけます。ＡＩが経験豊富な現場の人材に代わってタスクを実行するわけです。ここで使われるＡＩを問題発見ＡＩと呼びます。

次に、問題発見ＡＩの見つけた疑問符のつくデータを、次段の問題を分析するＡＩに渡します。問題解析ＡＩは第2章でご紹介したAutoML (automatic machine learning）と呼ばれる種類のＡＩで、特に人手を必要とせずに自動で要因分析や新しいＫＰＩを見つけ出します。

## 図21 〝AutoML〟によるタスク

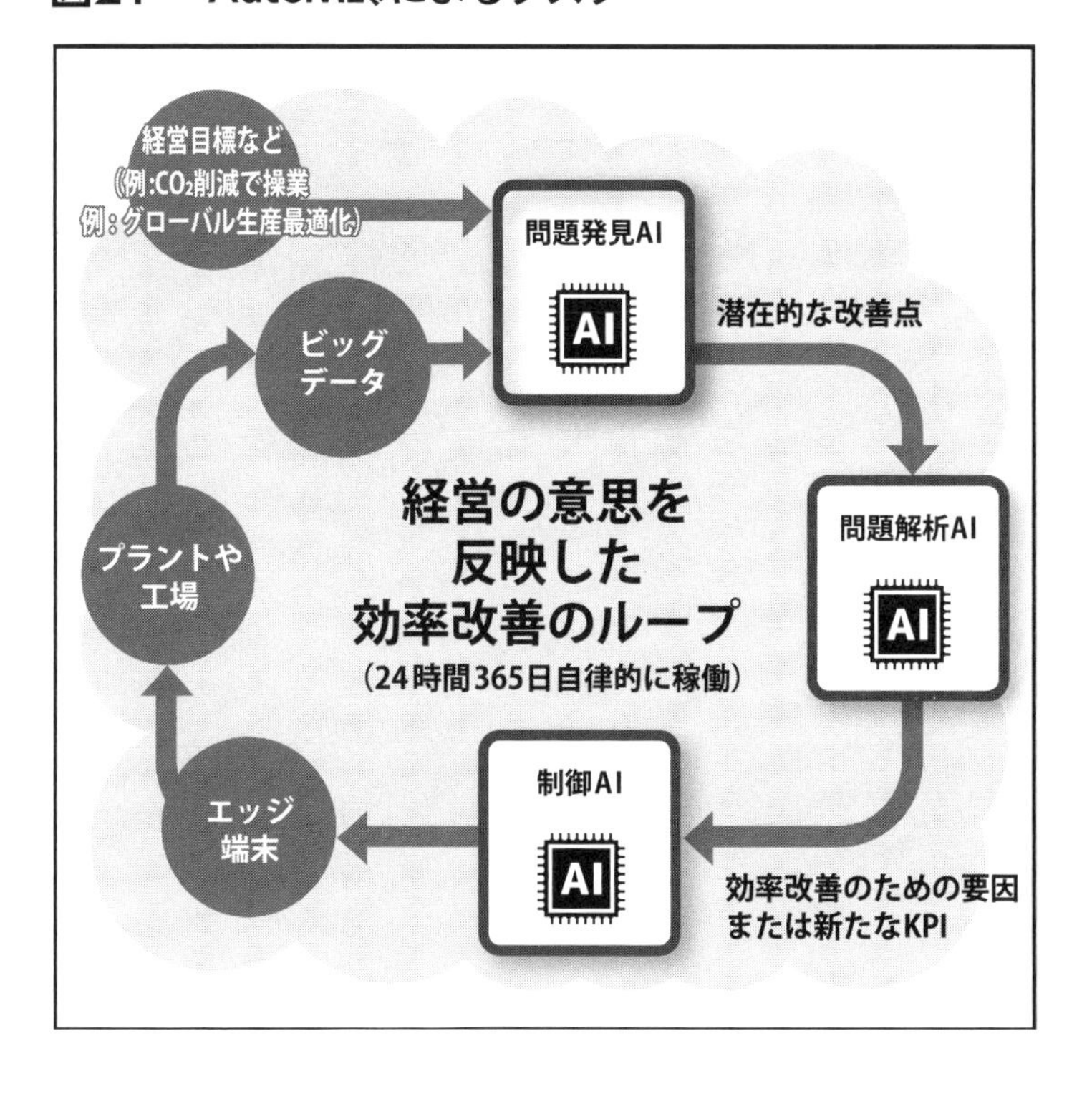

最後に制御ＡＩによって、問題解析ＡＩで分析された要因を回避し、新ＫＰＩを最大化するための工場・プラントの制御方法を見つけさせ、実際の工場・プラントに適用します。図21（Ｐ１１５）のように３つのＡＩにより、ＰＤＣＡループを「自律的に」回転させることが可能となります。

すると、これまで人手を使って半年や1年かけて回っていたＰＤＣＡループが自律的に24時間３６５日回り続けることになります。これを自律ＰＤＣＡループ(Autonomous PDCA Loop）と呼んでいます（文献Ｇ)。

一度ループが回って何らかの改善が起こった後、次のループが自動的に回り始め、さらに潜在的な問題を見つけ出して改善するという改善のスパイラルが回り始めます。

ＡＩによる自律ＰＤＣＡループの美しい点は、工場・プラントが、自分自身を改善していくというところです。ＡＩがもしも自分自身を改善できるとした場合、ＡＩは無限に性能を上げてついには人間を超えていくという概念は、ＡＩのシンギュラリティ（特異点）と呼ばれます。このＡＩのシンギュラリティと同じように、工場・プラントが自分自身を自律的に永久に改善していく概念は、製造業における「工場・プラントシンギュラリティ」と呼べるものです。自律ＰＤＣＡループはＡＩシンギュラリティの製造業版で、工場・プラントの持つ能力を最大限発揮する（つまりそれ以上の改善の余地が無くなる）状態へ自律的に到達することになります（図22 P118）。

余談ですが、AIシンギュラリティはAIという仮想空間で起きますので、無限の進化が理論上は可能であり、いつの日かその性能は人間を超えてしまい、人間の脅威になるのではといわれています。ただし「工場・プラントシンギュラリティ」は幸いなことに、あるいは残念なことに、工場内の製造過程を支配する物理・化学の基礎方程式が最終的な律速となりますから、無限に改善が進んでいくということはありません。改善はあくまで人間が制御できる範囲で飽和するため、人間への脅威が起こることはあり得ません。

このような「ヒューリスティックタスク」を自動化・自律化することは、海外では雇用を奪うのではないかと強く警戒されます。しかし日本ではこの手の警戒感は低く、むしろAIと協調して人が動くことでより良い世界を作ろうという文化的な雰囲気があります。ここは日本が迅速に舵を切れるという意味で、海外のコンペティターに対するアドバンテージとなります。

仮に、AIによる自律PDCAループが実現したら、現場のエキスパートの役割はどの

## 図22

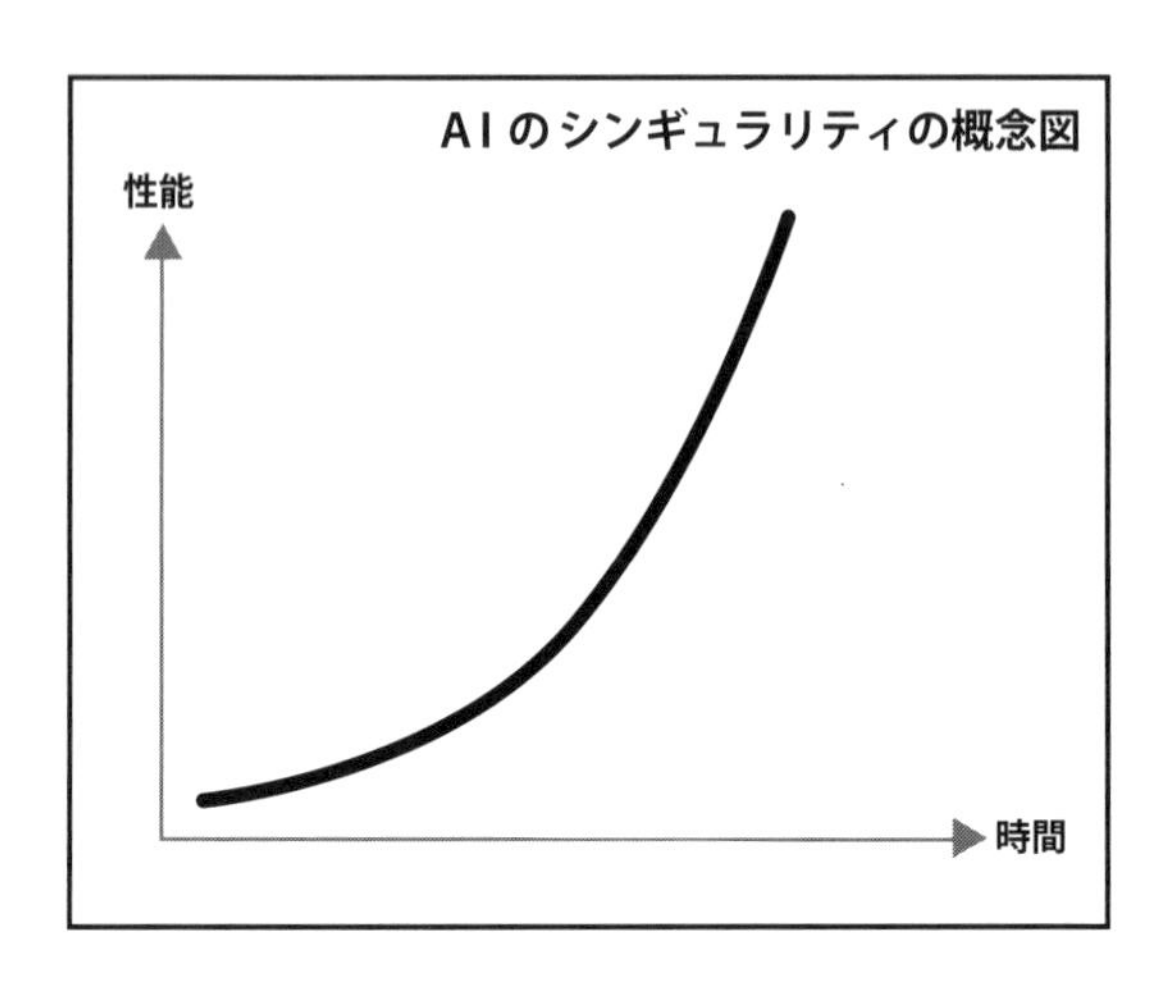
AIのシンギュラリティの概念図
性能
時間

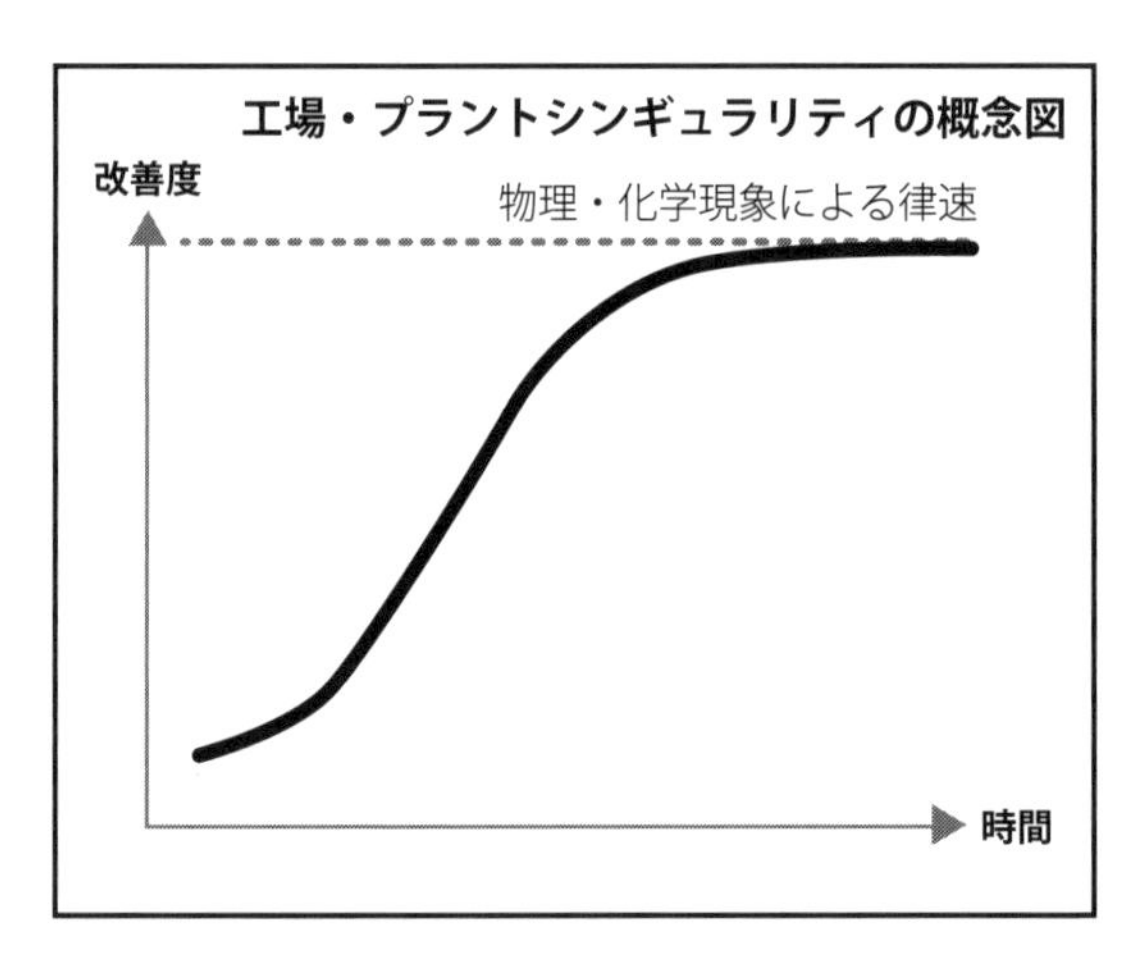
工場・プラントシンギュラリティの概念図
改善度
物理・化学現象による律速
時間

ように変化するでしょうか。例えば現場で人間が行うことは無くなってしまうのでしょうか？

自律ＰＤＣＡループのようなＡＩによる人間を超えるシステムが実現した未来を予測するには、本書でもたびたび登場している囲碁ＡＩの例を考えると分かりやすいでしょう。人間を上回る囲碁ＡＩによって、エキスパートであった棋士が廃業したという話は今のところ聞いたことがありません。囲碁ＡＩによって新しく発見された手順に対して、棋士の方々がさらに研究を続け、新定石が作られ続けています。それは、ＡＩをトリガーにしたものの、棋士による囲碁界の進化と呼べると思います。

これと同様のことが製造の現場で起こると思われます。つまり、あくまで自律ＰＤＣＡループは現状の設備やセンサー・化学反応等の中で最適化を行うものですので、最新の設備の変更や新規センサーの追加、新しい化学反応の導入といったところはＡＩにはできず、当然ながら人間の独壇場です。

疑問のデータの発見やその原因分析、制御方法の探索といった現場の負担の大きい改善の部分はすべてＡＩに任せ、現場の技術者は最新技術の導入に集中して工場・プラントを次の世代に導く役割を負う。このような体制は理解を得やすく、日本の製造業は、こうしたＡＩの導入により国際的な差別化要素を獲得できるのではないかと思います。これがＡＩと現場のプラスサムゲームの一例です。

日本の製造業の強みの1つは粘り強い改善努力です。その陰で、国際競争力を生み出す〝人〟への投資が少なめになっているのが、日本が出遅れている原因の1つではないでしょうか。ＡＩと現場のプラスサムゲームを使って強靭な差別化要素を作り、日本の製造業が再度、世界でも抜きん出る存在となることを目指す必要があります。そしてそれは、日本の製造業の強みを生かせば、可能なことです。

# 第4章

# スクラム製造による日本の国際競争力

PLUS-SUM GAME

## 創造性を発揮する製造現場とは

日本の製造業が抱える諸問題の1つが人材不足です。社会全体の少子化はその最たる原因ですが、それ以外にも高度人材の海外流出があり、何より製造業を目指す若者が減ってきていることについては、早急に何らかの手を打つ必要があります。

まず最初に、クリエイティビティを発揮できる職場と若者の職業選択の関係、次に保守・保全や品質管理領域で若者がクリエイティビティを発揮するにはどのような方法が考えられるか、そして海外のＩＴ／ＡＩ人材レベルと対等な日本の若手技術者を育てる環境について述べます。

製造業に就職した若者の最初のミッションは何でしょうか。それは、これまでに日本の製造業が培ってきた高度な技術や生産のプロセス、品質保証のルールを学ぶことです。過去に築き上げてきた成果が多い日本の製造業では、最初のスキルアップとして、これまで成し遂げたベースとなる技術を習得する必要があります。それらの技術は現在でも国際競争力の源泉であるため、充実した教育が行われることはキャリア形成の利点として就職説明会等でも説明されることが多いと思います。

若い世代は、入社当初はもちろん製造業におけるスキルを持ちません。ですから、プロとしてのスキルを身に付けるためには教育を受けるしか方法がないわけです。このことは逆にいうと、入社時に強いものづくりの精神を持っていても、教育期間中はクリエイティビティ（＝自発的なやる気）を発揮することができにくいということです。教育期間が長年続いて我慢の限界を超えてしまうと、当初のやる気は失われ、キラキラと輝いていた瞳はやがてどんよりと曇ってしまいます。

特に優秀で意識の高い若者は、常日頃から自分の能力を試したいと思うものです。つまらない（ように見える）教育に時間を費やすのではなくて、手っ取り早く自己表現ができる手段、例えばYouTuberのような職種が目に入ると、それはとても魅力的に見えるに違いありません。若者が即座にクリエイティビティを発揮できる今流行りの職種に向かうことは止めることはできませんし、何より自然なことだと思います。

これまで高度な最適化＝クリエイティビティを重ねてきた日本の製造業にとって、この事態は皮肉なことでしょう。ですが、製造業では過去を学ばないことにはクリエイティビティの発揮のしようがないというのも確かです。そこに若者の指向と製造業の人的リソース需要のギャップが生じているのです。

もちろん学校で多様な研究を積み、さらに現場で匠の技術を学びたいという人はいます。ですが多くはありません。従って、アニメやYouTuberを指向するマジョリティを製造業に振り向かせることが肝心です。さらにユニークな人材、つまり本来製造業へは進まないような人材が製造業を選択するようなムーブメントを作るにはどうしたらいいのでしょうか。

若い人材を製造業に振り向かせるには、まず経営と現場が一体となり、「日本の製造系の現場とは、クリエイティビティを発揮できる場所である」と再定義する必要があります。ここでは一例として、製品の組立作業を行っている現場がクリエイティビティを発揮する現場へと変革されていった例をご紹介したいと思います（実際の内容とは一部変更しています）。

その工場は、顧客の要求に応じて様々な部品を組み合わせる、多品種少量生産を行っていました。その多彩な組み合わせと品質の高さは特筆すべきものです。既に自動化できる部分の自動化は完了しており、焦点を当てるのはこの特別注文品を作る工場の生産ラインです。

一般的に、組立工場には前章で述べた「アルゴリズムタスク」が多く存在しますが、日本の製造業では長年の研究や投資の成果によって、かなりの部分が自動化されています。一方、多品種少量生産のような生産ラインでは「アルゴリズムタスク」と「ヒューリスティックタスク」の中間、つまりある程度は決まり切った手順で処理が可能ですが、人の判断が必要なタスクが残ります。人間の作業に完璧を求めることはできないとはいえ、ミスは製品の不具合や規格不適合につながるため、人に任されるこうした工程はどのような場合でも緊張を強いられるものです。

では、人の手によりながらも、ミスが許されない作業を長時間続けるという現場を、どのようにクリエイティビティが発揮できる現場に作り変えたのでしょうか？

この工場の多品種少量生産ラインでは、組み立て途中の製品が搬送機によって担当者の作業場まで送られてきます。半完成品の製品を取り上げ、組み立てに使用する部品を棚から取り出し、1つ1つをはめ込んでいきます。作業が終わると、次の工程に渡すため再び搬送機に乗せて終わりです。すると次の半完成品が運ばれ、再び作業に移ります。淡々と作業をこなす担当者の表情に、過度な緊張は見られません。誇りを持って作業している印象すら受けます。

現場には、1か月先までの生産ノルマの数字とその進捗状態、作業終了予定時間が表示されています。加えて、そこには半年先までの長期の受注量のグラフが重ねて表示されています。日々の生産計画は数日ごとに変更されているようです。

この工場は、よくある一昔前の現場のように見えます。しかしこれは、モダンなソフトウェア開発プロセスとして有名なアジャイル開発の哲学を、製造現場に適用したものです。本書ではアジャイル開発全般を説明しませんが、その仕掛けについて説明します。一見何の変哲もないように見えるこの工場で、どこがクリエイティビティの源泉となっているのかを理解していただければと思います。

## 現場に日々の生産ノルマだけでなく受注量が示される理由

まず生産プランです。毎日刻々と変わる受注量に応じて、納期遅れを起こさないように生産スケジュールが更新されます。通常生産ラインには、生産スケジュールの更新による日々の生産ノルマの変更だけ示されれば足りるはずですが、この工場では作業員にも長期の受注量が示されます。

これには2つの狙いがあります。1つは生産ノルマが変更された「理由」を示すことです。生産プランが安定している製造ラインであれば、明日、あるいは1週間後の作業が事前に分かり、作業員の安心感を生みます。しかし、日々生産スケジュールが変化する昨今の状態では、生産ノルマの変更が示されるだけでは作業員から次第に自律心を奪います。

例えば、部品等のサプライチェーンが不安定で、生産したいものがその通りに生産できない状況の中にあっても、経営者は顧客との受注納期の緻密な変更を受け入れて、売り上げを最大にする施策を取るものです。

その変更のあおりを受けるのはもちろん生産ラインです。

以前この工場では、生産スケジュールが頻繁に変更されていました。その日の朝に当日の生産ノルマが決定事項として作業員に示され、その日の達成が無理なら、工場長がその都度作業員に残業を交渉していました。

行き当たりばったりの生産現場の状況は、昭和の時代では極めて普通のことでしたが、こうしたトップダウンによる頻繁な計画変更の結果、失ったのは、自律した環境が前提となる現場のクリエイティビティです。

## アジャイルの考え方～経営と現場を結ぶ「受注のグラフ」

経営判断上、頻繁に変えざるを得ない生産プランと、頻繁に変わる生産スケジュールによって自律性を奪われる現場という負の連鎖を防ぐのが、アジャイル開発の考え方です。

アジャイル開発の哲学のもとでは、まず受注の変化等を現場に示して目標を明確にし、その目標を達成するための方法を現場で考えてほしいと依頼します。現場はそれに応えて最良の生産計画案を作るとともに、その変更のトレードオフによってどの生産が遅れるのかを示します。ここでは残業による対応はしません。何かを追加すれば何かを減らすというフェアな原則を経営と現場がグランドルールとして貫きます。

受注が増えたから生産量を増やせ、というストレートな要求には背後に上下関係があるものです。しかし、アジャイル哲学に見られるトレードオフを原則とした公平さは、経営側と現場の対等なパートナーシップを醸成します。こうして獲得された現場の自律性の中で、現場サイドはクリエイティビティを発揮し、様々な解決手段を検討してベストな製造スケジュールを提示します。

それでも問題が解決できなかった場合、つまり現場がベストを尽くしても生産ノルマを満たせない状態になってしまったらどうするか？　この問いをアジャイル開発に求めると答えは極めてシンプルです。「それは現場のせいじゃない」として、マネジメントに解決を投げ返します。「現場の示したベストな方法を持ってしても解決できない課題は、経営が解決する課題である」と私は考えます。つまり、現場がベストを尽くしても達成できないような要求は、そもそも無理なのです。

これを受けてマネジメントは、短期的にはプランの抜本的な見直し、中長期では技術者教育による実力の底上げやリソース補充を行うことになります。一方でこれを成立させるのは、現場のベストな努力があることが前提です。現場長は現場に課題解決のアイデアをいくつも出すよう求め、強いチームを作っていく必要があります。そして、この経営と現場を結ぶ共通認識が「受注のグラフ」です。

経営も現場も、この受注のグラフを全員に示し、満たすことを共通の目標とすることで、受注のグラフだけが目標に掲げられる、経営が上でもない、現場が上でもないフェアな組織関係とすることができます。

## フローあるいはゾーンによる集中力

先述の工場には、もう1つのアジャイル哲学要素があります。

多品種少量のラインですから、毎回作業に使用する部品や手順が変わり、現場の作業はその都度違ったものになります。このため、作業者はミスをしないための不安を常に強いられます。そして長時間の不安がミスを誘発し、作業効率を低下させます。しかしこの工場では、緊張を和らげミスを低減するために、作業に合わせて使用する部品の管理をデジタルで行っています。それは、人間の手順間違いによる不適合品を作ろうとしても作れない環境を整えることです。

半完成品がラインに運ばれてくると、作業者の机に並ぶ部品の箱の中から、その組み立てに使う部品の入った入れ物だけ「フタが開く」ようにしました。つまり、作業者はその都度部品の入った入れ物のフタを自分で開けて部品を確認する必要が無く、自動的に開いたフタの容器から素直に部品を取り出し、取り付けていけば良いのです。これは単調な反復作業で効率を上げるスタイルとは考え方が違います。

単調作業は、毎回同じ部品を使って同じ作業を繰り返します。しかし多品種少量生産では、その作業工程を完全な単調作業にすることはできません。通常は組立手順書を見ながら、作業者が部品を選んで取り付けます。では、この「自動的に該当部品入れのフタが開く」工夫は何をもたらしたのでしょうか？　それは単なるミスの防止だけではありません。

人は、一旦目標が定まったら、何も考えずに突き進むのが最も気持ちがいいものです。例えば、100m走のようにゴールが決まっていて、ひたすら前に向かって走ることに集中できると、同時にとても深い満足が得られます。このような人間の脳に根差している強い集中現象は「フロー」と呼ばれ、心理学者のチクセントミハイ氏が1990年に提唱しました（文献Ｈ）。

フローは俗に「ゾーン」とも呼ばれ、スポーツ選手のハイ状態として引用されることが多いのですが、特にスポーツに限った現象ではありません。

先ほどの「自動的に該当部品入れのフタが開く」というのは、このフロー状態を作り出すためです。もしこれが毎回同じフタが開き、同じ部品を同じ個所に取り付けるだけの単調作業ではフローは発生しません。作業があまりにも機械的で、そこにプロフェッショナリズムが無いからです。

毎回違う作業でありながら、開いたフタの部品を使うことで部品の選択を考えずに、組立作業に没頭する。１００ｍ走でスタートラインにつく時の集中力はフローへの導入であり、どのフタが開くか集中することと同じです。そしてピストルの音＝フタが開く、をきっかけに最短でゴールを目指す＝組み立てる、となります。

フタの生み出す効果は、過度な不安を取り除くというものです。「間違ったらどうしよう」といったような心配が集中力を上回ると、人はフロー状態に入ることができません。先に述べた多品種少量生産の場合、例えば部品の取り付け間違いは不適合になり大きな損害が発生します。作業者は常に不安状態に置かれているためにフローが発生しないのです。しかし、この「自動フタ」によって間違いを起こすかも知れないという心配から解放され、それが取り付け作業に集中できるという楽しみ、つまりフローに昇華すると私は考えます。

ソフトウェア産業におけるアジャイル開発も、実は同じ原理です。アジャイル開発は、ソフトウェア開発時にフローが発生する環境をシステマティックに作り出し、開発全体の効率を飛躍的に引き上げました。

技術者がプログラムする対象はもちろん毎日変わるわけですが、ユニットテスト(アジャイル開発が発明される前からあった「単体テスト」とは別もの)の仕組みを使って、「ユニットテストをパスしさえすれば作業は完了」という、のめり込める集中作業にプログラミング作業を落とし込みました。それと同時に、間違いの発生を自動検出する仕組みによって、プログラマーを不安から解放したのです。

このユニットテストとまったく同じ効果を作り出すのが、先ほどの工場の例でいう「自動で開くフタ」です。現場の作業員を心配から解放し、フローが生まれる環境は、クリエイティビティ発揮の土壌となります。

ここで、工場の現場とIT産業のソフトウェア開発との奇妙な一致に注目したいと思います。

## スクラム製造

日本の製造業の場合、工場での改善活動は長年現場を中心に進められ、改善できるところは改善し尽くされています。これ以上現場の経験だけで大きな改善効果を得ようとするのは難しくなっている一方、製造現場にかかる品質やコストの要求、急な計画変更等は日に日に増すばかりで、現場の疲弊は大変なものになっています。

このような品質・コスト・急な計画変更というような製造現場へのプレッシャーは、IT産業のソフトウェア開発においてもまったく同様です。例えば急な仕様変更への対応を多残業で乗り切る日々が続き、疲弊はたまるばかり。プログラマーはちっとも楽しそうに見えません。クリエイティビティを発揮できる要素も皆無です。このような状態の中で提唱されたのがアジャイル宣言です。

その根差すところは「本来プログラミングとは楽しいもののはずだ、そして楽しくなければクリエイティビティを発揮することはできない」という信念です。一体何がプログラミングを楽しくないものにしてしまったのだろうというところから、アジャイル開発は発展しました。そして、経営と技術者を結ぶ「計画」の定義を一方的なものからフェアなものに変え、フローに裏打ちされた施策によって、ソフトウェア開発の世界に大きな変革をもたらしたのです。

このアジャイル宣言の考えをベースに、製造現場の改革を行ったのが、先に述べた多品種少量生産現場の実例です。現場には受注量という共通の指標による現場と経営のフェアな一体感とフローによって、極めて前向きなクリエイティビティを発揮できる環境が作られました。このようなウェットな組織間の関係は古臭く見えるかも知れませんが、IT業界のソフトウェア開発では当たり前になりつつあります。むしろ人間関係がドライなほうが古臭いのです。これは、アジャイル開発で「契約よりも人間関係を重視する」という言葉で表されています。

製造業においてもアジャイル開発と同じ考え方を使い、現場と経営の一体感と働く人たちの満足感を実現する現場は、アジャイル開発の一派である「スクラム開発」をもじって「スクラム製造」とでも呼ばれるようになるかも知れません。それは、現場の人たちが誇りを持って生き生きと最大の効率で働く工場を実現するものであり、日本の製造業の経営者がまさに望む理想の姿であろうと思います。

今後、この「スクラム製造」は、かつてのソフトウェア業界でのアジャイル開発と同じように急速に整備され、日本の製造業が持つ国際競争力の源泉となっていくことでしょう。そして本章のテーマである、製造業への若い人の流れは、ソフトウェア開発と並ぶクリエイティビティの発揮具合と楽しさを実現する「スクラム製造」によって、可能となると考えます。

## プラントでのヒューリスティックタスクのＡＩ化

次に、化学プラントのような、オートメーションが高度に進んだ現場へ人流を向ける場合を考えます。

このようなプラントの現場では手作業による製造はほとんどありません。むしろ稼働率をキープするためのプラントの保守や保全といった部分や原料のばらつき等に対する最終製品の品質を許容レンジ内に保つ品質管理、あるいは環境に配慮した省エネ等が、人による製造作業の中心となるでしょう。こういったタスクは人間の判断が必要なところであり、前章で紹介した現場のタスクのうちヒューリスティックタスクが多くを占めます。ここではヒューリスティックタスクが大きな割合を占めるプロセス産業においての、①保守・保全、②品質管理、③環境配慮の3つの点に関して見ていきます。これらのタスクに対して若い人を惹きつけるには、どのような施策が有効でしょうか。

まず①の保守・保全領域の作業としては、現場の定期的なパトロールや、回転機等の設備の保全（メンテナンス等）が挙げられます。

現場のパトロールの特徴は、定期的に実施するものの、そのほとんどの日は何も起こらないことです。決まった手順で確認を行うアルゴリズムタスクに似ていますが、何かが起こっているのを見逃すと大きなトラブルになるため、刺激の乏しい環境の中に身を置きながらも緊張を強いられます。

また、現場で起こるトラブルの予兆は、すべてが既知ではありません。人間の感じる「違和感」のようなものがトラブル防止の最後の砦となることもあり、ヒューリスティックタスクが多分に含まれる、プラント全体の安全性・持続性のための責任のある作業です。
この保守・保全作業を、ロボット等の技術を使って完全無人化できればいいのですが、現時点でロボットやドローン等のハードウェアが現場のヒューリスティックタスクを解決するためにはいくつものハードルが存在します。
今まで述べてきたように、作業者が生き生きと作業を行うためには、まずは「不安感を緩和」することが重要です。それは100回のパトロールのうち99回は何も問題が起こらないような条件の中で、100回に1回の何らかの違和感を見逃してはいけないという不安の緩和です
こういった心配が緩和されると、現場には精神的な余裕が生まれ、さらなる効率化のアイデアが生まれやすい土壌が出現します。現場パトロールの本質をまとめると、次のようになります。

- **プラントの持続的運用・安全の観点から非常に重要**
- **ほとんどのパトロールでは違和感が見つからない**
- **まれに起こる違和感は見逃すことが許されない**

ここでいう違和感とは、作業者の過去の経験と照らし合わせた時に感じる違いです。

この点に関しては、第2章で述べたＡＩのカテゴリのうち、カテゴリ1の画像・音響・言語処理用（視覚や聴覚をデータ化する）ＡＩと、カテゴリ3の製造プロセスデータ分析が有望な活用エリアです。

パトロールによる人間の判断は、視覚・聴覚のような人間の五感と、過去の経験に照らし合わせた時の違和感（つまり無意識に人間の脳内で行われるデータ分析）ですから、現在の段階のＡＩが貢献できる可能性は高いといえます。

違和感検出は、何か特定の現象を見つけるのとは違い、どんな現象かは分からないが過去とは異なるものを見つけるというものです。過去のデータとの違いを単純比較で見つけるのは、特にＡＩを用いなくても可能ですが、それでは毎日「違和感」が検出されるでしょう。現場の状況は、例えば天気等の影響で毎日変わるものですから、単純なデータ比較では毎日データの差が見つかることになり、役に立ちません。本質を見極められる第3世代ＡＩを用いる必要があります。

第1章ではホットケーキの焼き加減から規則性を見つけ出す第3世代ＡＩをご紹介し

ました。違和感検出はこのＡＩの能力を使うことになります。一方で、ＡＩを違和感検出に使う場合の最大の難関は、ＡＩには何が重要な違和感で、何が考慮の必要のない違和感なのか、区別がつかないということです。

例えば、パトロール時に人間の耳に聞こえる音をＡＩが認識すると、これまでの経験と異なる音はすべて違和感として検出します。遠くを走っている電車の音であっても、違和感として指摘されます。もちろん、現場のパトロール員は電車の音等は気にも留めないでしょう。ここに人間とＡＩの違和感に対する認識の差が出てきます。

人間の持っている背景情報を「コンテキスト」といいますが、人間が持つコンテキストをＡＩに学ばせていく必要があります。システマティックにこの作業を行うには、例えば以下のような方法があります。

パトロール作業員に五感センサーを取り付け、パトロール時のデータを収集します。その時に製造データ（プロセスデータ）も収集します。通常のパトロールを終えた作業員が事務所に戻った時、その作業員が違和感を検出したかどうかを記録し、一方でＡＩが検出した違和感リストと比較します。人間とＡＩの見解が一致した違和感は問題ありません。

一方、人間だけが違和感を見つけた場合には、ＡＩの感度が低いか、もしくはたいていセンサーの個数不足ですので、センサーを追加して違和感を感知できるようにします。

## 製造現場の保全有識者とＡＩの対話

人間は感じずにＡＩだけが見つける違和感は2通りです。不要な（つまり電車の音のような）違和感と、人間が見つけられなかったような重要な違和感です。

前者の不要な違和感には、検出不要のラベルをつけてＡＩに学習させていきます。この繰り返しでＡＩにコンテキストを学ばせ、違和感検出のレベルを調整していきます。検出感度が人間のそれと似通ってくれば、このＡＩは人間の良きパートナーとなり、パトロール時の不安感を緩和することができるでしょう。

このようなＡＩに対する「教育」は、現場に新人が入ってきた時の教育とよく似ています。日本の製造業には後進に技術を伝承する良き文化がありますので、その伝承先がＡＩとなるものの、徐々に成果が目に見えるようになるシステムを構築できれば、海外よりもうまくＡＩの力を人間の経験値になじませることができます。これは日本の製造業の国際競争力の源泉の1つとなり得ます。

ですが、今日では、コスト面からこのようなトライアルを実行するのが極めて困難になっています。また、パトロール用のＡＩは多種多様な判断をする必要があるため、そのコンテキストを教え込むのに、単なるＡＩ技術者ではなく現場をよく理解しているＡＩ技術者が必要となり、その裾野が広がらないのです。ＡＩの技術者として、筆者も現段階での問題に対する実用的な具体案を提示できませんが、前述したような人間の感じる違和感とコンテキストをＡＩに教え込んでいくようなシステムを構築し、しかもそのシステムは現場の工数やコストの負担を最小限に抑える取り組みが必要だと感じています。

なぜなら、保守・保全作業は、プラントの持続的運用・安全の観点から極めて重要なエリアであり、最新技術の活用によって解決していくべき重要課題だからです。現場での緊張の緩和という方向性を軸にして、人の代替手段としてのＡＩではなく、ＡＩと人が対話をしながら、あるいは人がＡＩを教育しながらプラスサムゲームを目指していくという、魅力的で先進的な職業観を作ることで、保守・保全のエリアに対して優秀な人材を惹きつけていく必要があると思います。

## 「人にやさしい品質改善」という考え方

次に、プロセス産業におけるヒューリスティックタスクの②品質管理への対応について述べていきます。

日本の製造業の品質管理レベルは現在でも高いレベルにあります。それでも品質管理について相談を受けることが多いのですが、それは主に現場での未解決問題と技術継承の問題です。この2つは、優秀な人材を惹きつけるという観点で関係性があります。

品質管理が極めて高いレベルにあるということは、そこには過去に開発された技術やノウハウがあり、技術はシステムに組み込まれ、ノウハウは現場の先輩の頭の中なり手順書（ルールブック）に記載されているということです。新入社員は、まずはそれを学ぶことが求められます。しかし、本章冒頭でも述べた通り、この学習期間が控えているということ自体が、今の若い人にとってはなかなかつらく厳しいのです。その本質は、若者の考え方が変化したからではありません。若者を取り巻く環境が変わったからです。

日本の高度成長期のような、長期にわたっての成長・出世といった未来が見えていた時代では、日本人の粘り強い資質が遺憾なく発揮できました。しかし、現代の状況では未来像が描きにくく、長い時間をかけて先輩の知識を継承した後で自分はどうなっているのだろうという不安が付きまといます。その結果、品質改善と自分の将来がどのように関係があるかが見えにくくなっているのです。現在の日本の状況では、説得力のある未来像を示すのがなかなか難しいものになっているという背景が、問題の本質です。

品質改善が重要だという認識は、裏を返せば、最終製品の品質が許容範囲を超えてしまった場合、ペナルティーが大きい（個人ではなくて会社に対して）ということです。自分自身も経験があるのですが、この品質第一という考え方は、個人的にも脅威に感じられたものです。品質保証部という部署が、何か怖い部署であるかのように思えていた時期もありました。

長い間、品質問題を手掛け、1つ1つ問題を解決していったベテランは、残ったほんの少しの課題を何とか解決し、より良い品質を作り出そうとするラストワンフットに強いモチベーションを感じると思います。一方、最初から高い品質レベルを見ることになる新人は、果たしてそのレベルをキープできるのであろうか、自分はその伝統を守れるだろうかと逆に不安になってしまうのです。

ここは発想の転換が必要です。それは「品質を改善する努力は、人が緊張を感じなくとも品質保証を実現するための努力なのだ」と位置づけることです。

先の組立工場の例では、「自動的に開くフタ」を導入することで作業従事者の必要以上の不安を解き、作業そのものに集中できる環境を作ることができました。

プロセス産業は化学反応等を中心としたものですので同じ手段は使えませんが、製造プロセスの中で品質保証に関して人が不安になる部分を、緊張せずに判断できる仕組みを作ることが品質保証である、と従来の品質保証を拡張して考えるのです。

製造プロセスの中で品質保証に重要なデータのうち、測定可能なものは既に何らかのセンサーがついているはずです。従って、さらに上の品質を保証するために必要なものの多くは、直接測定できないようなデータです。

例えば、容器内の触媒の状態等がそれにあたります。また、天候の急激な変化等で変わる全体的な操業状態等です。そのようなデータは数値化しづらく、周囲の状態から推測するしかありません。そこに、現場のエキスパートの判断が介在します。こうしたエキスパートの経験による判断こそ継承したいものですが、この継承そのものが新人に不安を強いるという頭の痛い問題があります。

こういった現状を打開し、長年積み上げてきた財産である現場の技術や経験値を次の世代にどう継承していくか。それは人に依存していて、かつ重要な判断が必要な部分を非属人化し、製造において人が緊張する部分を取り除くことが品質保証であるとするのです。つまり、人にやさしい品質改善の仕組みを実現するということです。

現在の品質問題は、「測定できない数値が関係しているためエキスパートの勘に頼っている」もしくは「制御方法の理屈が複雑すぎて分からないからエキスパートに頼っている」といった場合が多いのではないでしょうか。前者は容器内の触媒状態や腐食状態のようなもので、後者は天候や原材料といった、あいまいな外部変化が間接的に製造プロセスに影響する場合だと思います。幸いなことに、これら2つの要因は現在のＡＩ技術で改善される可能性があります。

まず、直接測定できない測定量は、ソフトセンサーと呼ばれるＡＩ技術により数値化できる可能性があります。化学反応や物理現象の理屈から求められる測定量であれば、従来技術によって数値化が済んでいるはずですから、現場で未解決として残っている課題は主に科学的な理屈がつけにくく、データや現象だけ見ていてもなかなかその規則性が見つけられないような測定値です。これをカテゴリ3のＡＩを用いて数値化します。一度ＡＩ

による数値化ができてしまえば、そこからエキスパートが理屈を引き出して発展させるという手も考えられます。

制御方法の理屈が複雑すぎて分からない場合も同様です。第2章で紹介したカテゴリ4の制御ＡＩによって制御方法を見つけ出し、そこから理論や制御手順をエキスパートの手で逆算するという手法があります。

また、日本の製造業に特化した強みは、ＡＩがセンサーデータのあいまいな関係性をモデル化した後で、エキスパートがＡＩと「対話」できることです。人間がＡＩの結果を解釈する方法は研究が盛んです。そして経験豊富なエキスパートを抱える日本の製造業は、エキスパートとＡＩの対話によって得られた理屈に裏付けされた知識で、国際競争力の源泉を得られる可能性があるのです。

品質管理は若い人にとって、内省的な側面が多い仕事だと見られがちです。実際は、ＡＩという最新技術を駆使することで、日本の製造業の強みになることを目指せる仕事です。若い優秀な人材が品質管理や品質問題を、最先端で明るい未来を作る活動と捉えてくれれば、人の流れが作られると考えられます。

## 環境問題と若者の意識

次に③環境配慮、例えばＳＤＧｓと製造業への若者の流れの関係を考察したいと思います。

環境問題については、最近の若い人たちの関心は非常に高いといわれます。小中高の教育でも、ＳＤＧｓに割かれる時間は多い（少なくとも昭和よりも）です。その特徴は、ホラーストーリーを中心に展開された昭和の環境問題教育と違い、明るい未来を作るための環境問題という文脈で語られることが多く、若者の関心を集めることに成功しています。

とはいえ、環境問題の舞台裏はビジネスの戦場です。特定の環境問題の解決に熱心な大企業は概ね、既に自社内で代替の素材や手段の開発に目途を立てている、あるいは特許を提出済みの企業です。環境問題は巨大な利権ビジネスの中心です（文献Ｉ）。

しかしながら、環境問題は大企業が本格的に向き合わないことには真の改善は達成できないため、企業が自社の利益をかけて乗り出すことは、環境問題の現実的な解決に必須です。当然、日本の環境問題に取り組む製造業も自社の利益を強く意識するべきところです。

一方、これから企業に入社してくる世代は、環境問題は純粋に地球環境に対するボランティア活動のようなものだと認識している可能性があります。強く利権の関係している世界だということは学校では習いません。この認識の差が、これから日本の製造業に影響する可能性があります。利益度外視の環境問題解決の努力は日本にとって非常に危険です。

これからの日本の製造業は、利益確保と環境問題の2つを同時に解決していく道を進まなくてはなりません。そのためには国際競争力を強めるための差別化要素を、国を挙げて追求していくことが必須です。当然ながら日本にも、環境問題に対する複数の産業からなる企業連合が多数あり、次の切り札を探しています。

環境問題への強いモチベーションを持つ若い世代は、そのような活動に積極的に参加してくれると思います。これは、若者の製造業への人の流れを作る上では非常に大切な要素です。一方で、差別化要素を強く意識して利益を守る必要があるのだということを、いかに若い世代に伝えていくかは重要な課題です。

環境に配慮しながら国際競争力を持つ差別化要素を作り、自社の利益に結びつけていくのは並大抵のことではなく、世界でもまだその決定打は生まれていません。逆にそれは日本の製造業にとってはチャンスであるわけですが、それには、単なる地球に対するボランティア活動ではない、質の高い事業提案が必要です。従って、社内の仕組みを敷いて有望な若者を育て、環境問題を本格的なビジネスチャンスと捉えて行動を起こすことが求められています。若者による有効なビジネス提案の社内の仕組みは第6章、第7章で詳しく述べます。

## 日本のソフトウェア・AI人材のトップとの距離

ここで、海外での技術者の流れを見てみたいと思います。インド、中国、あるいはベトナム等といった国々ではソフトウェア産業が若者に人気があります。大学ではコンピュータサイエンスが人気学科ですし、卒業後には地元の最先端のIT企業に就職して高給を取り、クリエイティビティを発揮しながら夢のような人生を歩んでゆく例が多く見られます。また、それらの国や新興国では国を挙げてソフトウェア産業を支援しています。これは偶然ではなく、海外の国々は意図的にソフトウェア産業に舵を切ったわけです。海外での、この国家ぐるみでソフトウェア産業を推し進めるというスキームは非常にうまく進んでいます。

まず、ソフトウェア産業やその応用であるＡＩが将来にわたり有望な産業であることをアナウンスし、小学校、中学校の頃からソフトウェアの開発になじませ、高校、大学と本格的なソフトウェア開発に携わせる。そして、国の根幹を担うソフトウェア会社に就職する、という道筋を国主導で整備しています。つまり、ソフトウェア会社に人材を供給することを国の責任でやっているのです。中には、ＩＴ企業が自分のグループ内に大学を持っているというケースさえあります。

ソフトウェア開発、ＡＩ開発に携わる人材の確保を、社会のシステムとして整備しているような国々と日本は戦わなければなりません。そのような現実を、まず認識するべきだと思います。

では、日本の製造業が、ソフトウェアあるいはＡＩ開発の礎を築くためには、何から手をつけるべきでしょうか？

それにはまず、若者に世界の最先端を体験してもらうことが重要だと思われます。ソフトウェア産業の場合、オープンソースプロジェクト等の、世界のコミュニティーの中でもトップレベルのコミュニティーに入ると良いでしょう。ＡＩに関してはＩＣＭＬと

NeurIPS（ニューリップス）という2つの有名な国際ＡＩ学会に毎年参加することをおすすめします。

これは自分の経験談でもあります。製造業の企業に入社して初めてＡＩの部隊を立ち上げた時のメンバーは、私を含めて2人でした。典型的な日本の技術組織が新しいことを学ぶ時の方法に違わず、文献や教科書を使って勉強を重ねていました。しかし、後から考えるとこのような立ち上げ方は、間違いではないにせよ、極めて効率の悪い方法でした。

それをはっきり認識できたのは、少ない予算をやりくりして国際学会に参加した時です。国際ＡＩ学会参加を目標に、しっかり勉強し様々な実践や実験を積んでいました。それなりの自負はあったのですが、世界の最先端というのはそんなレベルではなかったのです。学会でのあまりにレベルの高いディスカッションに、まったく歯が立ちませんでした。世界は自分たちの実力を遥かに凌駕しているということが、国際学会に出て分かりました。ノックアウト状態、まさに完敗でした。ですが、その一方で、マラソンで例えるとＡＩのトップ集団の背中がはっきり見えたのも確かです。遥か彼方でしたが、〝見えた〟ということが大切でした。見えたことで、自分たちはあと何と何を学べばそこに追いつけるのかが分かりました。様々なＡＩ講演に共通して使われている10個ほどのキーワードやアルゴリズム名を集めることで、研究が盛んな最先端分野を把握できたのです。

その後、世界のトップ技術として扱われているアルゴリズムをつぶさに研究し、1年後の国際学会参加時にはほぼ苦労しなかったことを覚えています。世界のソフトウェア技術やAI技術は、注力すべきトピックさえ間違わなければ、1年間必死で努力すれば追いつけるのだというのがよく分かりました。

当時、私の会社には他にもAIを研究しているチームがあり、分厚い教科書をバイブルにその中身を理解することに集中していました。その本を理解するまでは他の本を読んではいけない、というような風潮もあったようです（余談ですが、その本はページ数のボリュームが凄かったので、私は読みませんでした）。

国際学会に参加し、最先端のAI技術をほぼキャッチアップした後でその厚いバイブルを見ると、最先端ではまったく研究されていないアルゴリズムが多くの紙面で解説されていたり、最も重要とされるアルゴリズムが1行しか触れられていなかったり。また世界の潮流から考えると認識違いの記述すら散見されました。

そのバイブルは当時でも発行から既に数年が立っていましたので、古い記述は当然あると思いますし、書籍が書かれた当時にまだ実績が無くて名前が知られていなかったアルゴリズムは簡単にしか触れられなかったでしょうから、これは仕方がありません。私にとって衝撃だったのは、時代の流れが速いＡＩのような技術分野では、書籍は出版された瞬間に時代遅れになっていくという実感でした。日本でよくある研究方法である書籍を徹底的に理解しようとするやり方は、動きの速い技術においては正攻法ではないと考えられます。新技術に対する研究の仕方の違いが、現在の日本の製造業に影を落としている可能性があるのです。

日本の製造業における新技術体得の方法が、教科書や国内のコミュニティー等に依存するのは、歴史的背景があるからだと考えられます。日本の製造業が世界に君臨していた頃は、日本で出版される教科書や日本のコミュニティーがまさに世界の最先端でした。下手に海外の学会に出るよりも日本国内にとどまって勉強するほうが効率的だったのです。しかしその成功体験は、ＡＩやソフトウェア技術の習得といった最先端分野では完全に間違ったやり方です。

ＡＩに限らずソフトウェア全般に関しても、やはり最先端の、あるいは最高レベルの世界のプログラマーというのは設計の仕方やプロセス、コーディングスピードがまったく違っています。まず、それを認識しなければなりません。世界と自分たちとの距離を知ることは、なかなかつらいことで逃げたくなるものですが、若い人たちはそこから始めるべきだと思います。トップの背中が見えれば目標が定まるので追いつこうとする意識も俄然高まります。そして、そのトップに立つという意識も同様です。

## ソフトウェア・AIトップ人材の育成

過去に大流行したインベーダーゲームを作るソフトウェア講座を社内トレーニングとして企画したことがあります。モダンなソフトウェア設計スタイルを学ぶためのトレーニングですが、設計に関する演習を終えてから、「では実際にプログラムを書き上げるまで何日でできますか？」と受講者に聞きました。その講座には日本だけでなくシンガポールの若手も参加していて、彼らは「5日かな」とか「10日なら」と答えます。すると、年配の熟練のプログラマーが「そんな時間でできるわけがない、2週間だよ」と揶揄しました。

ですが、実際のところ世界のトッププログラマーはそれを24時間で作ります（世界で少なくとも2人のプログラマーがこれを成し遂げたのを私は実際に見ています）。24時間で作るトップレベルの人がいる一方で、２週間かかるという中堅プログラマーがいる。その差というのは歴然としていますが、24時間でインベーダーゲームを作れることを知っていれば、プログラマーとしての人生も変わってくると思います。それを知らないと、世界レベルにはまったく届かないプログラマーになってしまいます。世界レベルを知らない技術者がソフトウェア開発の部門長に就くような負の連鎖を抱え込んでしまうと、本来は高い技術力を持つ若者もそういうものかなと思ってしまい、世界のトップとのギャップがなかなか埋まらなくなってしまうのです。

世界の最先端をキャッチアップする方法はいろいろありますが、繰り返しになりますがまずは、若い人に世界のトップを見せることです。素晴らしい技術を持ち、洗練されたプロセスを効率よく運用している日本の製造業を新入社員に教育することは必要なことですが、それと併せてＡＩやソフトウェアの世界の最先端を見せることはとても大切であり、有意義なトレーニングです。

残念ながらＡＩ及びソフトウェアに関する分野において、日本は現在世界のトップではありません。しかし世界の標準を知る人たちが中堅どころになってくると、若い人たちがより一層製造業に入って夢を抱けるようになると思います。

ＡＩやソフトウェアは若い人がクリエイティビティを発揮できるエリアです。周囲をあっと言わせることができるのもＡＩやソフトウェア開発です。ものづくりの醍醐味を早く体感したり、実際にビジネスとして実行できるところでもあるので、日本の製造業は力を入れるべきです。

## 開発・製造部門とＡＩのプラスサムゲーム

現在の、そしてこれからの製造業にはＡＩ及びソフトウェア開発がとても重要です。今まで重要視されていたハードウェア単体での価値が低下し、現在ではハードウェアとクラウドの接続、周辺サービスとの連携、新機能のアップデート、さらにはサブスクリプションと、エンドユーザーが求める価値がソフトウェア中心の補完機能に移っています。

そうした価値の進化、多様化をキャッチアップすることは、日本の製造業では避けて通れない重要なことです。顧客中心をうたう以上、顧客の嗜好が変わり、顧客の主戦場が移動した現在、そちらへ動かなければなりません。これができずに、自分たちは今までここを戦場にしてきたと言い張り、その戦場から既に主要なお客様がいなくなっているのを見て見ぬふりをしていては、ビジネスは成り立ちません。実はこういった事態に日本の製造業は陥っているのではないでしょうか。顧客中心の考え方を貫くためには、お客様の移動方向に自分たちも移るという意識が必要です。

日本の製造業はこのような顧客の嗜好の変化をキャッチアップしていくかどうかが1つの大きな分岐点になります。どちらの方向にいくのがいいのか、正解は分かりません。ただ1ついえるのは、先行した企業と単純に同じ土俵で戦っていても勝ち目はないということです。そう考えると、日本の産業で強固なのはハードウェア中心の品質、あるいは製造マテリアルの品質です。これらの強みをテコにしたソフトウェア産業という土俵での勝負が、一番勝ち目があるのではないでしょうか。そのためにはどうすれば良いでしょう。

まずは製造部門です。強みを持つハードウェアやマテリアルの製造部門と、AIやソフトウェア、DX部門を切り離してはいけないと思われます。そこが切り離されてしまうと日本独特の強みを作り出すことができず、ただの外国のキャッチアップ企業になってしまいます。これではファーストムーバーに勝つことはできません。

ですので、今の日本の製造業がやるべきことは製造部門とOT部門、そしてIT部門へのソフトウェア人材、クラウド人材、ＡＩ人材の投入及びその構成をうまく実行することです。単純にＡＩはＩＴ部門の人がやればいいとか、製造部門の人はやらなくていいとしてしまうと一気に強みが失われ、国際競争に勝てなくなります。これは日本の武器が使えなくなるということです。

一方で、製造部門の人に一からＡＩやソフトウェア技術を学んでもらうというのもなかなかハードルが高いものです。これはもちろん能力の差ではなく、製造部門は日々、製造やコストダウンを始めとする様々な問題を解決しなければならず、優先順位の変更が難しいからです。その年の製造目標だったり、お客様が待たれている納期をどうやって守るかを最優先で考えることは、製造部門にとっては非常に正しい決断です。

従って、経営者がそこを紐解くことが肝心になります。お客様の納期を守るのは大切で、品質のキープも非常に大事ですが、それらにプラスして、製造業の部門がＤＸやＡＩ等新しいテクノロジーの導入を促進していかなければ海外の競合に勝てない。だからこうしようと、経営者レベルが方針を打ち出すことが重要になります。

そのためには現場の方々が経営者の意思にエンゲージするような施策を進めていくのが一番いいでしょう。つまり、経営と現場の共通の目標は外国のコンペティターに勝つことであり、そのためには前述したように世界のトップ技術を学んだ人たちが自分たちの現在の姿を確認し、その上で日本の強みを生かしてどうやって海外と戦っていくのかを考える。そうした動きを会社全体で行う必要があると思います。

もちろん、こういった活動は一朝一夕ではなかなかうまくいきません。ですから、後続の第5章で述べるような専門性を持ちつつも現場と経営の思考や意思を理解する人物（シンセサイザー）を配置し、現場では世界のトップ技術を理解している人を作って方向を間違えないようにすることが大事です。社内にワーキンググループを作り、タスクフォースを作っただけでは、過去の成功体験やイナーシャ（慣性）が強く効く部分でありますので、トップの意思を現場に浸透させていくのは、なかなか難しいということになります。

本章では将来の若者が製造業で生き生きと働くために必要な考え方の転換を述べました。それは、若者が現場の技術を受け継ぎながらクリエイティビティを発揮でき、最新の技術を導入しながら国際競争の中で対等に渡り合う、颯爽とした姿です。そのような姿を目の当たりにして、さらに次の若い世代が製造業の門を叩き、ますます日本の製造業が発展していく。日本の製造業の明るい未来を作るためにそのような人流の好循環を作り出す必要があります。本章での議論の中心であった、クリエイティビティ、最新技術、そして国際競争というキーワードは、小中高大学の教育システムで強く意識をしていくことは当然ながら、若手を受け入れる側の製造業界側も真剣に考えていくべき時代になっています。

# 第5章

# 経営と現場のプラスサムゲーム

PLUS-SUM GAME

## 「市場の行きすぎ」にぶつかる日本の製造業

日本の製造業は時として、その努力の注力先が企業内部に向かうということがあります。それは、企業内部の最適化を進めることが業績を高めることになるという経営判断です。一方、海外の競合メーカーと戦い、業績を出すという外向きの経営判断もあります。

企業内部の最適化と国際競争という2つの取り組みのどちらがより難易度が高いかというと、一般的には後者となります。企業内部の最適化は取り組みやすいものの、所詮限られた枠組内でのゼロサムゲームです。国際競争を有利に勝ち抜くことで全体のパイ（売り上げ等）そのものを広げるプラスサムゲームに注目することは、内部最適化以上に力を注ぐべきテーマとなります。

本書では極めて難易度の高い国際競争力の向上というテーマに日本の製造業はどのように立ち向かうべきかに多くの紙面を割きます。本章では主に国際競争力の源泉を得るための経営と現場の関係について、次章以降ではその具体的な進め方を論じようと思います。なお本章では手段としてのＡＩには触れません。

「世界をありのままに見る謙虚さと、世界がどうなるかを想像する大胆さは、イノベーション経営者の資質である」（文献Ｊ）とリンダ・A・ヒルが述べていますが、このように、まずは現状をありのままに見つめ、その先を見通す大胆さが必要です。

日本の製造業には大きな強みがあり、もちろん弱みもあります。弱みをことさらに強調するのは本意ではありませんが、強さがある故に顕在化しなかった弱みであるのなら、まずはその弱みを見極め、と同時に、その解決方法を論じていきたいと思います。

ご存じのように、日本の製造業の全盛期は、製造工数や原価を最大限切り詰めながらも使用者が納得する完璧な製品を作り出した時代でした。様々な製品に刻まれたメイド・イン・ジャパンの文字はまさに最高品質の証であって、当時の日本は世界的に極めて有力な製造国でした。

このような無駄を省きつつ、機能をとことん突き詰める最適化を長年続けた企業もしくは工場は、クリステンセンのいう「市場の行きすぎ」という現象（文献Ｋ）を生み出します。既に行き着くところまで行った改善をさらに改善する、いわば乾いた雑巾をさらに絞るような努力ですが、改善量に比したコストはどんどん膨らみ、顧客においては、その改善具合に見合った対価を支払う意欲が低下するという現象です。

## 補完機能という顧客価値の出現

２０２３年の今、品質を高くしてコストを最大限切り詰めるというこの2点を突き進めたとして、実際にモノが売れるか、あるいは収益が上がるかというと悩まれる経営者も多いのではないでしょうか。さらに海外の競合に勝てるかとなると、ほとんどの経営者が「ＮＯ」と言うと思います。つまり、日本の製造業は品質や信頼、あるいはコスト等で今以上の優れたプロダクトを生み出したとしても、海外の競合に簡単には勝てない状態になりつつあります。

この息苦しさの原因は様々ありますが、中でも筆者が一番大きいと思うのが、特に日本のハードウェア製品にいえることですが、世界のユーザー、あるいはエンドユーザーは、もはやハードウェア単品では得られないような価値を求めるようになっているということです。顧客が求めるものが以前から変わったというよりは、顧客がハードウェア製品とサービスあるいはソフトウェアを組み合わせることで、より高い満足を得られるということに気付いたといっていいと思います。

これは「補完機能」と呼ばれるものです。補完機能の例を挙げると、ドーナツチェーン店のコーヒーがあります。ドーナツチェーン店のメインの収入源はもちろんドーナツですが、なぜ美味しいコーヒーを同時に提供するのか。それはコーヒーがドーナツというメインコンテンツの価値を上げるからです。AmazonがKindleを製造販売したのも電子書籍の価値を上げるためですし、MicrosoftがMinecraftビデオゲームに投資したのもバーチャルリアリティヘッドセットの価値を上げるためといわれています（文献L）。これらはメインコンテンツを補完し、メインコンテンツの価値を高める機能です。普段私たちが何気なく利用しているハードウェア製品も、単独での製品提供にとどまらないものが多くなりました。

このような「モノ売り」から「コト売り」への移行は、日本の製造業に対してかなり大きな本質的変化を強いるものです。つい先日までは、とある製品の品質を上げ、性能を上げて世界に輸出すれば、それが間違いなく使われていました。単体のハードウェアの価値を高めれば高めるほどビジネスが回る、いわゆるプロダクト売りがうまくいっていた時代です。

ところが今はハードウェア単品ではなくて、その周辺のシステムやサービス、エンジニアリング、あるいは頻繁なソフトウェアアップデートであったりと、そういったハードウェアに付帯する周辺価値そのものが、ユーザーに求められるメインコンテンツの価値を上げるという、そのようにマーケットが変化したのです。

## 市場を制した者がルールを決める

こうした変化は、もちろんクラウドやインターネットといった技術改革がベースにあるといってしまえばそれまでですが、筆者の私見としては、これは海外の競合企業が仕掛けてきたものと考えられます。

一歩先んじた日本のハードウェア製品、テレビや家電等の単品に勝てるものを、海外競合がそう簡単に作れるわけではありません。また、日本製品の品質にキャッチアップするには膨大な投資が必要です。しかも投資をしたからといって、そのビジネスで勝てるかどうかは不確かです。海外の競合が品質面で追いついてきたら日本のハードウェア製造業はキャッチアップし、その上をいく製品を開発するでしょう。そういった状況の中で苦労した海外の競合企業は、ハードウェア単品では作れないような価値を新たに生み出したのです。そして、それを戦略的にカスタマーにアピールし、補完機能のほうが高価値なのだと時間をかけて説得しました。やがてエンドユーザーも確かにそうだと認識するに至ったのです。

このように仕組まれた結果、世界のビジネスの潮流は補完機能の充実へと向かいます。日本のハードウェアを中心とした製造業は、ある意味新しく作られた価値観の中にさらされ、非常に苦しいルールの中で戦わなければならないという状況に追い込まれてしまったのです。やり切れないのは、日本の製造業のレベルが下がったというわけではなく、変えられてしまったルールのもとで勝つのが難しくなったという事実です。

このように、ルールが書き換えられてしまい、勝てなくなった例はスポーツにもあります。例えば一時期の柔道です。日本の柔道は武術から発展した格闘技で、「一本」を取って相手を動けなくすることを目指すものでした。この「一本」を取るためには非常に高度な技が必要となるため、日本の柔道家は大変な努力をしてその技術を磨いてきたわけです。そうした伝統を持つ故にお家芸と呼ばれ、オリンピックや世界選手権では、日本選手が大いに活躍しました。それがある時から試合のルールが変わり、ポイントの蓄積が勝敗の決め手になりました。つまり、「一本」を狙う大技よりも、小技を繰り出しポイントを稼ぐような、日本人にしてみれば「姑息な」選手が有利になるというものです。こうしたルール改正の結果、日本は世界で勝てなくなり、また、実際に試合を見ても、何か別の競技に思えたことをよく覚えています。余談ですが、その後「技のかけ逃げ」という概念が定着し、再び柔道の本質を目指すようなルールとなったのは、日本の柔道家の方々の努力によるところが大きかっただろうと思います。国際ルールの改正には、同じくルールの改正で対抗しなければなりません。一度変わったルールをもとに戻すことはとても難しく、一般的にはほとんど不可能です。

この柔道のように、世界における日本の製造業が置かれた状況を肌身で感じている経営者は多いと思いますが、一方で、なぜか以前のようにビジネスがうまくいかなくなった、コスト競争だけが目標になってしまったと感じることもあると思います。

ハードウェアの性能中心のビジネスルールが、補完機能を取り入れた価値創出に変わったという現在の状況は厄介です。顧客が新しいルールを受け入れた以上、柔道のようなルール再変更は不可能です。このルールの変更は不可逆的な変化であって、時計の針が逆戻りすることはありません。

もちろん、そういった状況の中でも、日本の多くの、主にハードウェア単品を作る製造業の方々が世界へのキャッチアップを試みています。例えばハードウェア製品にソフトウェアによる付加価値をつけ、製品売り切りのビジネスからクラウドを利用したビジネスに作り変える等のチャレンジです。あるいはエンジニアリングやサービス面での付加価値を高める動きです。このようなキャッチアップの方針変更は極めて正しい経営判断で、様々な試みが行われているのはご存じの通りです。

とはいえ歴史を振り返ると、過去に日本の高いハード技術を海外勢がそのまま追いかけ、ついにキャッチアップできなかったように、昨今の補完価値を巡る状況は単純なキャッチアップによって競合を抜き去ることができるほど、容易に手を打てる状況ではありません。それは、国際ビジネスは競争である以上、ファーストムーバーが圧倒的な有利性を持っているからです。日本の製造業が海外勢に立ち向かうキャッチアップを、競合は座して見守ることはありません。必ずカウンターを打ってきます。

反論を受けるのは承知で私見を申し上げますと、日本の製造業のキャッチアップ戦略は、将棋を一人で指しているようなものではないでしょうか。つまり盤面を見て、攻めるべき場所を見つける(ここまでは何の問題もありません)。そこに手を打ちさえすれば勝てる(相手はカウンターを打ってこない)という相手のいない将棋です。具体的には、マーケティング調査によって将来の伸長が期待される分野を特定する（繰り返しですが、ここまでは何の問題もありません）、そしてその分野へ投資をする。あとは結果が出るはずだとじっと待つ。つまり、洗い出した有望市場における「勝てる」というビジネス予測にフォーカスが集中しすぎて、その市場における競合のカウンターによるダメージの想定が甘いように思えます。日本の製造業はビジネス上の勝ち負けの見極めが弱いというのは、筆者の実際の経験からくるものです。

この「勝ち目があるかどうか」の見極めの弱さは、日本の製造業の過去の大成功という記憶に根差していると思います。国際市場を制している企業は自らルールを決めることができるというビジネスの大原則があり、同じ市場での2位以下の企業には、そのルールを決める権利はありません。有望な市場を見つけたとしても、それは市場を支配しているＮｏ．1企業が既に目をつけている場合がほとんどで、正面からぶつかっても勝ち目はないのです。

先ほど述べたような「一人で将棋をする」状況は、ＳＷＯＴ分析やＰＥＳＴ分析のような、世の中に星の数ほどある従来のマーケティング手法による影響だと思います。ＳＷＯＴ分析やＰＥＳＴ分析は自社の状況を整理し、また社外の市場を整理するのには優れた手法です。これらの手法で得られた結論と合わせて競合がカウンターを打ってくる可能性と、スケールメリットで勝負が決まる（力を持っている企業が必然的に勝つ）という現実を強く意識することが肝心です。

ここまでの話をまとめると、既に顧客には、補完機能による価値づけに重きを置く変化が起きている。そして、単純なキャッチアップや通常のマーケティング手法を用いての方針ではファーストムーバーに勝てない、ということでした。

このような厳しい市場状況の中にあって、では、どのようにして日本の製造業が国際競争力を高めていけばいいのでしょうか？　状況分析や歴史的背景についてはここまでにして、いよいよその一歩先を具体的に論じようと思います。

## 仕組まれた経営と現場の分離

既に述べた通り、日本のハードウェアやマテリアルの製造業は、海外のコンペティターに対する単純なキャッチアップでは、なかなか勝つことができません。ただし逆説的ですが、この状況で自信を失うことこそ最大の敵です。海外に比べて、日本の製造業のレベルが未だにとても高いのは周知の事実です。その強みがビジネスの表面に出てきていないのが問題で、それは同時に狙い目でもあります。

これといったビジネス上の画期的アイデアが出てこない中で、海外のプラットフォーマーやソフトウェア産業が華々しい業績を上げているのを目の当たりにすると、プラットフォーマーにならねば、ソフトウェア産業に主軸を移すべきではと、隣の芝生がとても青く眩しく見えると思います。

しかし現実はというと、出遅れた日本が海外勢の席巻する分野にキャッチアップしようとしても、たとえソフトウェア産業で競合と同等の機能を有することができたとしても、世界で有利に戦うことは、少なくとも今は無理だと述べました。グローバルな隔壁が取り外されたプラットフォーマーやソフトウェア産業での戦いは、日本にとって不利な戦いを強いられるからです。

ファーストムーバー、ファーストペンギンである海外のプラットフォーマーやソフトウェア産業は、既に優秀なタレントを惹きつけて成果を出し、それがさらに新しいタレントを惹きつけるという好循環に突入しています。実はこのような動きは欧米だけでなく、アジアを含む諸外国でも達成されていて、例えばソフトウェア企業が大学を運営し、優秀な学生を自社に取り込む等の大きな枠組みができています。筆者も、インド・ベトナムといった諸外国でそのようなスケールの話を聞いて圧倒されました。とはいえ、ないものねだりをしても、ビジネスの世界では意味がありません。

飛ぶ鳥を落とす勢いの海外勢を横目に、自社の強みは何かという棚卸しをした日本企業は多いと思います。自社の強みを生かすべくビジネス戦略を立てる、あるいは新領域への投資を決断するといった施策です。そうした視点からビジネス戦略を立てるのは大正解だと思います。一方で、それがうまくいっているでしょうか？

自社の強みを生かしたビジネス戦略を立てたものの、それが現在のビジネスの延長線上の施策であったり、かと思うと、まったく突飛な手がかりもないような新市場への壮大な施策だったり。経営者から見て今一つピリッとしない、そういった新規提案が多くないでしょうか？　ビジネス戦略の実行がうまく進まないと経営は現場を責め、逆に現場は経営の役割を責めるといったことが起きていることもあるかと思います。ただし筆者は、経営も現場も自らの責務を果たそうとしているだけであり、どちらかに問題があるという課題認識のフレームこそ間違っていると思うのです。

日本に限らず現在の製造業は、経営と現場が分離しているといわれています。経営はグローバルな競合の中、新しい技術やビジネスチャンスを追求して収益増を目指さねばなりません。一方、経営基盤の根幹をなす現場は、投資の源泉として利益を出し続ける必要があります。

多くのビジネス書では、この経営と現場の立ち位置を「対決」するものとして書いています。つまり成長を目指そうとする経営に対して、実際のビジネスを担う現場は利益を守りにいく。そこに経営と現場の意思のミスマッチが起こると。経営は新しいビジネスを狙いにいく投資を行う役割、一方の現場は経営投資の請求書を支払う役割（文献E）、というわけです。この表現はともかくも、ビジネスの伸長に対する経営と現場の明確な役割分担を行っている企業では、経営と現場の「対決」は一般的な構図と考えられます。

特に海外の場合は、同一の賃金に対して同一の労働という考え方が強く、変化を強く嫌う現状があります。何十年も使われた組織設計に慣れすぎてしまい代替案が見えない（文献M）という状況ですが、それではビジネスのトップラインを伸ばすことができないという経営者の悩みがあります。その結果として経営者は経営から現場を分離し、現場をキャッシュカウへとラベリングしました。そして経営者は自らのリーダーシップとして最先端の投資を行ってきたのです。この海外の製造業の手法の利点は、現場を経営から完全に分離することによって、現場変革の経営決断をトップダウンにより極めて早く行えることです。

同じ手法を日本の製造業が取るのは自然のように見えます。しかし本当にそうでしょうか。日本の製造業では、欧米のような同一賃金に対して変化を嫌う文化は多数派ではありません。このことは、現場の不断の改善努力に見られます。賃金が上がらないから改善活動はしないという文化は日本では少数派でしょう。そこに、欧米と同じような経営と現場を分離させた仕組みで対処しようとすると、日本の製造業の強みが吹き飛んでしまうのではないでしょうか？　経営と現場を分離し、両者の結合をあきらめるというのは、日本の製造業の場合には問題を単純化しすぎていると思われます。

もちろん日本の製造業においても、経営と現場の結合は簡単ではありません。しかし本書の主張の1つは、経営と現場の結合にこそ、国際競争力を生むプラスサムゲームの源泉があるというものです。

## 現場のグリットと自律性による国際競争力

その考察を進める前に、日本が積み上げてきた歴史からくる、経営と現場のそれぞれの主張と悩みを明らかにしたいと思います。

特に経営者は、経営コンサルタントと話をするケースが多くあるのではないでしょうか。その結果、いわゆる海外の製造業特有の経営観点からのレクチャーに多くさらされていると思います。本節ではこの部分を日本の製造業に特化した視点から説明したいと思います。また、製造現場の方には、経営の悩みや経営から現場に何が求められているのかを理解していただければと思います。

日本の製造業はこれまで品質を高めることで信頼を得て、さらにコストを最大限切り詰めることにより、消費者の購買意欲を獲得してきました。それに伴って売り上げが伸びて利益も増えるというビジネス拡大モデルで世界を席巻してきたわけです。ところがこのような成長モデル下では、ひと言でいうと製造現場の力が非常に強くなるわけです。品質に対してのみならず、コストに対しても製造現場が責任を持ち、製造現場が頑張ることで製品（単体）に対する価値を最大にすることができました。もちろんそれを売っていくグローバルな営業とマーケティングも欠かせませんが、その中のコアとなる存在が製造現場だったのです。

現場が強かったというのは、これまでは特段悪いことではありませんでした。収益は上がるし、それに伴って給料もボーナスも上がります。経営陣も現場に対しての信頼が厚く、経営も現場もウィンウィンの関係でした。

しかし、既にご説明した通り、現在の顧客価値の中心は、ハードウェア単品の性能やコストではなく、製品単体では提供できないような補完価値に移りつつあります。そういった時代に変わったといいますか、国際ビジネス競争下でルールが変わり、その結果、エンドユーザーも補完価値の重要性に気付いた、そういう世の中になってきました。

こうしてゲームのルールが変わると、これまで現場が非常に強く、そのことで会社がうまく回っていた日本の製造業では、様々な問題が顕在化してきます。海外での国際競争の激しさを目の当たりにした経営陣は、焦りの気持ちもあるでしょう。当然のことながら、もっと利益を上げなければ、売り上げを立てなければと考えます。そこで頼りにするのはもちろん現場です。シルバーブレット（銀の弾丸）やエリクサー（賢者の石）といった、自社が抱える課題を解決する何らかの策がほしいと現場に求めます。それは現場を信頼しているからに他なりません。

一方、製造現場はどうでしょうか。経営陣から売れる製品を作ってほしいと言われると、現場はもちろんそれに応えようと知恵を絞ります。しかし、今の市場のリクエストは、現場だけで完結できないものが多いのです。製品外でも価値を作るという、現場の最適化だけでは解決できないような高いハードルがある。そこが昔とまったく違うところです。

あるいはグローバルなサプライチェーンを考慮して、製造原価、部品、原料のコストを下げるというようなことは自社内では完結できず、リスクを取りながら情報技術への投資を進めないと解決できない問題です。製造業の現場に現在の経営陣が求めているのは、そういう現場だけでは解決に至らないようなアクティビティを含むリクエストなのです。すると、現場としては自分たちだけでは何ともしようがないので、アクティビティそのものが止まってしまいます。日本の製造業の自律性が極めて強いが故の結果ともいえます。

つまり、欧米の製造現場に強いイナーシャ（現在の状態を持続しようとする性質）があるのは同一賃金に対する仕事の変化を嫌うためであり、一方、日本の製造現場は現場だけの最適化では海外の競合に対して手が出ないため、結果的にイナーシャになっているという構図です。図で示すと図23（P１８１）のようになります。

# 図23

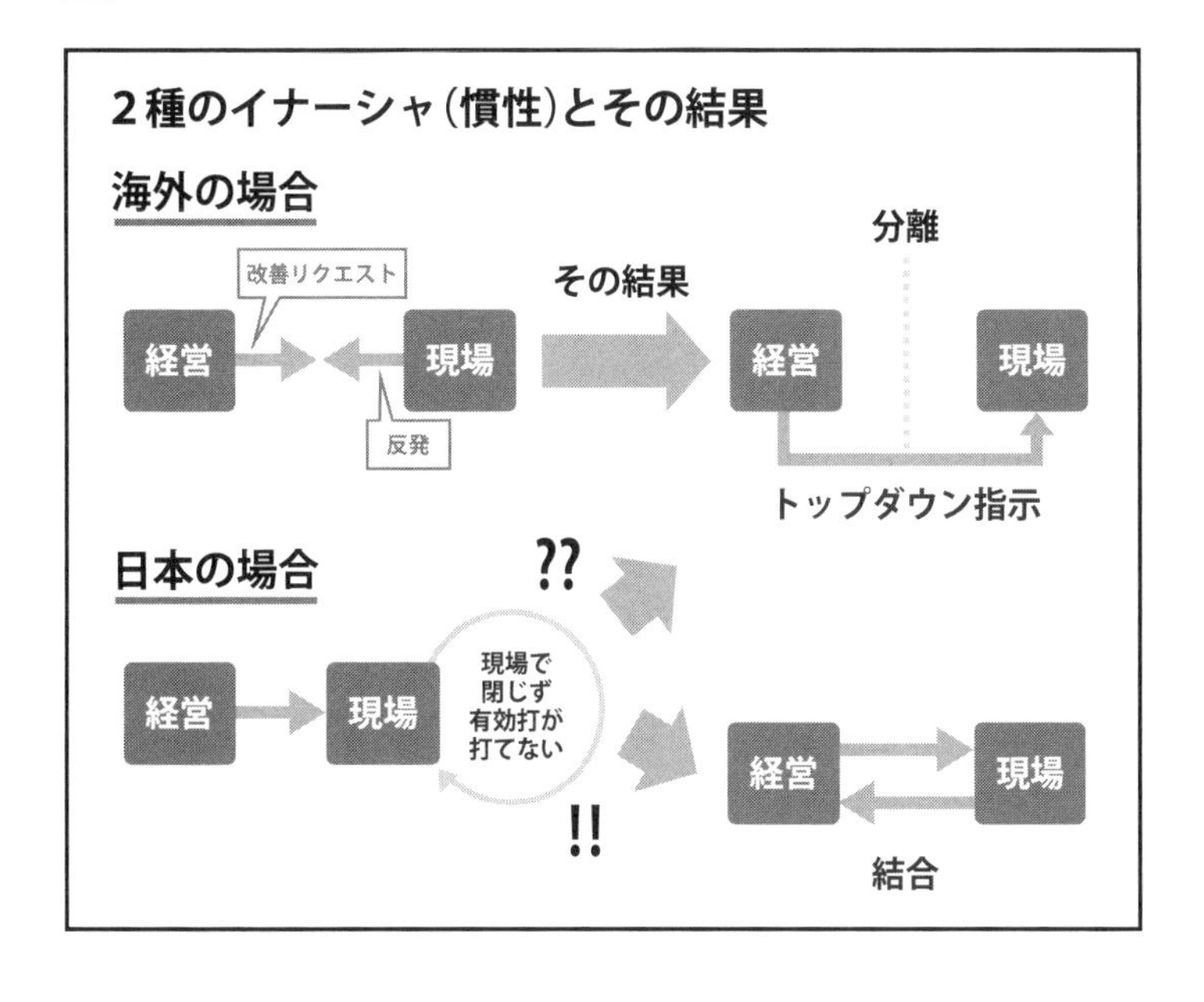
2種のイナーシャ(慣性)とその結果
海外の場合
改善リクエスト
経営
現場
反発
その結果
分離
経営
現場
トップダウン指示
日本の場合
経営
現場
現場で
閉じず
有効打が
打てない
??
!!
経営
現場
結合

日本と海外で同じように見える問題の本質の違い。それを見極めれば、日本の製造業の強みを生かしながらビジネス伸長を目指す方法が見えてくるのではないでしょうか。海外の製造業が取り入れている、経営と現場を分離するという成功例を、日本にそのまま輸入してはいけないというのがポイントです。日本の製造業の場合、経営は現場との結合によるプラスサムゲームが求められているということです。

日本の製造業の強みは、製造現場の高い自律性です。これは離職率が高い海外ではなかなか見られません。そしてこの自律性はイノベーションに必須の要素（文献F）です。またイノベーションの成功率を高める要素は「グリット」と呼ばれる資質です。グリットの定義は「長期的目標に対する忍耐力と情熱」というものですが（文献N）、グリットこそ日本の製造業が過去に飛躍を遂げた核心であるのは間違いなく、日本人特有の気質という意味では大きなアドバンテージです。また、イノベーションのシードは現場から生まれるというのは欧米の著書にも散見されますが、それを利用するために海外経営者は苦労し（具体的にはイノベーションはあなたの職を奪うものではない等の説得）、あるいはあきらめて、トップダウン型の経営と現場の分離に向かっています。このような欧米型の製造業経営と現場の分離は、現場の強みと「グリット」という日本の大きなアドバンテージを失わせます。

では、日本型の経営と現場の融合、日本型IT／OTコンバージェンスともいえる企業全体の変革を実行に移すにはどう進めていけばいいのかを、見ていこうと思います。

## シンセサイザーとチェリーピッカー

日本の製造業の現場の強みを生かしながら、日本型の製造業経営を行うために必要なのはどのようなものでしょうか？　それは、「シンセサイザー」と呼ばれる経営と現場の強力な仲介役だと考えられます。シンセサイザーは以下のような役割を持つ人々です。ゲイリー・ピサノの書（文献E）を引用します。

**【引用】**

**シンセサイザーは、信じられないほど優秀な人でなければなりません。複数の領域にわたる知的な熱意と、複雑さ・矛盾・あいまいさを楽しむ心の習慣を持っている必要があ**

ります。多様な分野の専門家から学び、コミュニケーションをする能力が必要です。このタイプの仕事には、適切な経歴と気質を備えた人物が必要ですし、認知能力も必要です。また組織内のシンセサイザーは、最も切望され報われるポジションの1つである必要があります。

もちろんシンセサイザーが不在であっても、既に経営と現場の間で代表者を出してワーキンググループを作る等の協業を促している日本企業はたくさんあります。しかしこのワーキンググループがほとんど機能しないケースは至る所で見られる現象です。その多くは足を引っ張り合うマトリクス組織の悪い面が露呈し、情報共有止まりとなることが多いからです。

少々脱線しますが、筆者の経験でも、このようなワーキンググループでは「新しいことの見極め人」のような立場の長老が往々にして登場します。そして、このタイプの人は新しい試みの提案を次から次へと否定していきます。面白いのは、新しい試みはもともと成功率が低い（例：2％）です。ですから、すべての提案を否定してしまえば、「この人は見極め人として、非常に高い確率（例：98％）で物事を当てる優秀な人だ」と高く評価されるわけです。また残りの2％の良い提案に対してもあれこれ足を引っ張ればうまく進まなくするのは簡単ですから、「見極め率」１００％も達成できます。しかしながら、提案された新しい試みをすべて否定するだけならば何もそのような高い給料の人を雇わなくとも、素人高校生をアルバイトに雇って会議に出席させ、すべての提案を機械的に否定させれば良いのです。こうした行いが正しいとは到底思えません。

そこで必要になってくるのが、先ほど述べた部署間をつなぐことができるシンセサイザーです。このような人材を見つけるのは難しい、自分の会社にはいない、と思われた方も多いと思いますが、同時にゲイリー・ピサノはこのようにも述べています。

【引用】

シンセサイザーを特定し、惹きつけ、育成するにはどうすれば良いでしょうか？　彼らを特定することはそれほど難しくありません。通常、彼らの学歴、キャリアパス、さらには個人的な興味に対し、分野を横断する原因となった何かが大切です。（中略）キャリアパスの動きと個人の歴史も、人々がシンセサイザーになれることを示唆し

**ている可能性があります。**

このようなシンセサイザーは日本の製造業企業内に存在するのでしょうか。日本の製造業では、シンセサイザーは（強制的な異動ではなく）「自らの意思」で様々な職場を転々としているケースが多いようです。その一方で、日本のシンセサイザーは会社内で地位的に恵まれていないことも多いという現実があります。組織では統合抑圧（組織内最適）のプレッシャーがあるため、有能なプレーヤーが別組織に移ろうとするのを抑圧しがちです。加えて、職場を転々とする人材を十把一絡げに低く評価する傾向があります。

もちろん複数の職場を転々とした人が全員シンセサイザーの素質を持つわけではありませんが、そのような自律した新規探索傾向を持つ人材がいるかどうかを見極めるのは、大企業でさえ候補者は数名でしょうから難しくありません。また、経営と現場の両方を知り尽くしたコンサルファームを伴走者としてつけ、若いうちから人材を育成するのも現実的と思われます。このシンセサイザーの自社内育成の具体的な方法については、次章で詳しくご説明します。

経営と現場の両方を理解しているシンセサイザーは、双方の信頼を得ることができます。そして相容れないような課題をかみ合わせることができます。このような人材の発掘と地位を保証することは、日本の製造業の経営の責任であろうと思います。

一方で、日本の人材育成制度の欠点として生まれた、シンセサイザーと似ているがまったく逆のタイプの人材がいます。人事の方針としていくつもの部署を転々としたものの、各部署での美味しいところだけをつまみ食いしただけの浅い経験を広く積んだ人材のことで、チェリーピッカーと呼ばれます。このチェリーピッカーをシンセサイザーとして登用することは絶対に避けなければなりません。シンセサイザーは、転々としてきた各部署で最も厳しい局面を抜け切った人材です。例えば新事業立ち上げに携わった時は、それが成功で終わったにせよ失敗に終わったにせよ、きつい状況（例えば事業のクローズ等）を最後までやり切ったグリットを持つ人材です。チェリーピッカーとシンセサイザーは、職務経歴書の上では同じように見えるため注意が必要ですが、「チェリーピッカー」という概念を認識していれば、見誤ることはないでしょう。

経営者は真のシンセサイザーの活動を後押しし、「何をするか」と細かな介入ではなく、「なぜするのか」を徹底的に布教する役目を負います。「なぜ」は、経営数字の目標ではありません。もっと大きい目標、つまり世界での自分たちの立ち位置です。

「自分よりも偉大で永続的なものに属していると感じていることなしに、真に優れた人生を送ることはできません」（文献F）

高度成長期の日本の製造業で生き生きと力を発揮していた世代は、確かに自分たちより偉大で永続的なものに属している感覚があったのではないでしょうか。その帰属意識は会社だったのか、その時代の雰囲気だったのか、あるいは戦中戦後の貧しい生活の裏返しだったのか、人によって様々だったと思われます。現在の日本では別の形で、例えば「日本の次世代に明るい未来を残す」といった偉大で永続的な目標を繰り返し若い世代に伝えることは、現在の経営者世代に課された宿題だと思います。優れたリーダーは野心的な目標を実行可能に見せる方法を知っていますが（文献M）、その方法とは、有能なシンセサイザーにより製造業経営と現場をつなぐことだと思います。

## 経営と現場のコンバージェンス

近い将来、日本製造業のあるべき姿の1つは、経営と製造現場が融合したコンバージェンスであろうと考えます。

製造業を経営するにあたって2つの種類のデータがあります。経営陣が財務諸表等の経営判断のもとにするITデータと、製造現場での重要な製造データであるOT（Operational Technology）データです。このようなIT、OTという区別は、海外の製造業の姿である経営と現場の分離という風潮が輸入されたものと考えられます。このITとOTの分離が日本の製造業の強みを本質的に消してしまったという私見は既に述べた通りです。

現在、世界の製造業で実現が叫ばれているIT／OTコンバージェンスという一連の流れは、通常はデータインフラ上での経営と製造の統合を指します。一方、海外の製造業でのIT／OTコンバージェンスの意味は、経営陣が製造部署の挙動を監視するためのものです。つまり、海外では経営と製造が完全に分離しており、経営が製造の問題点を見つけ出して、経営陣の中央統制のために監視や改善・技術導入をしやすくするためという、純粋な経営視点での現場とのコンバージェンスです。

日本の製造業が国際競争力の基盤となる差別化要素を得るためには、シンセサイザーを

「しっくい」とした、経営と製造現場のコンバージェンスを実現するのが必須と考えます。これもIT／OTコンバージェンスの一種といえますが、中身は海外に見られる経営目線からの現場統合ではなく、経営と現場が深いレベルで手を握るプラスサムゲームであり、似て非なるものといえるでしょう。この経営と現場のコンバージェンスは日本流IT／OTコンバージェンスと呼ぶこともできると思います（図24 P191）。それは使用される技術手段であるシステムの箱は同じであっても、中身の実装が異なるものとなるでしょう。経営と現場の両方を理解するシンセサイザーの存在、現場から経営へのエンゲージメントの意識醸成、そして経営から現場へのエンパワーメントの推進です。システムや組織体制をハードウェアとすれば、そのハードウェアを生かすソフトウェアになるのがシンセサイザーの登用です。次章では、シンセサイザーの存在を前提として、日本の製造業が国際競争力を持つために新事業の開拓という最も重要なテーマについて、具体的な方法を掘り下げていきます。

## 図24

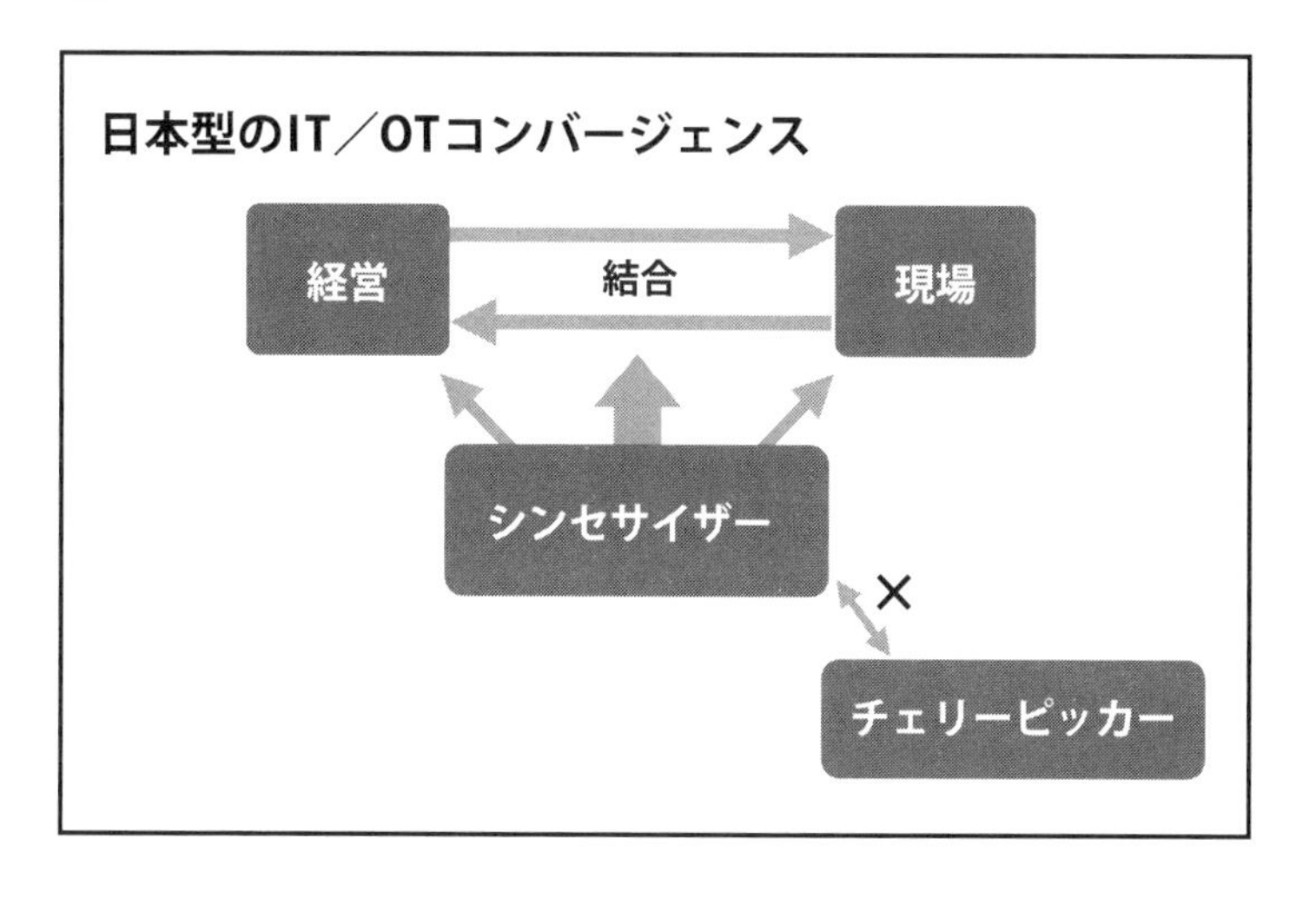

# 第6章

# ビジネス提案の品質管理と成功確度

PLUS-SUM GAME

有能なシンセサイザーを得た経営者が経営と現場をつなぎ、日本の強みを生かしながら世界で戦っていく。そのための具体的なイメージを述べていきたいと思います。

## ハイリスクハイリターン・ローリスクローリターン

前章で述べた通り、ビジネス戦略には大きく分けて、外部に向けた攻撃的な戦略と企業内部の最適化による守備的な戦略の2つがあります。前者は施策立案が難しく投資も大きい分、成功した時の効果も大きいと期待されるものの、成功率は高くありません。一方、後者は前者と比較すると、施策立案が容易で投資も制限でき、成功率は高めです。しかし、その効果は比較的小粒になります。このことから2つのビジネス戦略は、概ねハイリスクハイリターンとローリスクローリターンの二元論で語られます。

このような、何か運命論にも似た二元論は一見正しそうに見えますし、ハイリスクハイリターンとローリスクローリターンをバランスよく組み合わせましょう、というビジネス提案は経営者の耳に障りの良いものです。例えば、個人が資産運用を行う時の投資信託のようなイメージです。投資信託の場合、どの企業の株式が上がるか下がるかは買い手には分からないという前提で、また統計的な確率が設定された上で、リスクと収益のバランスを取った最適点が提示されます。もし投資がうまくいかなくとも、あくまで確率によるものであり、あらかじめリスクを納得していると考えることができます。このような確率的な考え方は、果たしてビジネス戦略投資の選択においても唯一の方法なのでしょうか。

投資信託の例では、株価の変動が「予測できない」という前提のもとに統計的な手法を使ってリスクを分散しましたが、では果たして製造業の投資判断も結果が「予測できない」のでしょうか。逆説的ですが、おそらく現在の状況では「予測できない」のだと思います。そのため、製造業の投資判断においても、投資信託のようにリスクに応じて投資を割り当てて結果を待つという方法が使われていると思います。

投資に対する効果を１００％予測する方法がないということは理解できますが、その確実さを高める方法はどうでしょうか。一般論で考えると、そのような方法はありません（もしあれば、既に世界中で実行されているはずです）。しかし、日本の製造業に特化して考えるとどうでしょうか。

日本はリスクを極端に嫌う文化を持ちます。その良し悪しを論じることはできませんが、その文化が投資判断にバイアスをかけている可能性があります。つまり、本来は投資をすれば大きく成功するのに、リスクを極端に避けた結果、成功案件が投資対象にならないといったケースです。この場合、心理的バイアスを取り除いて判断することで、投資が成功する確率を上げられる可能性があります。もちろん、単純に向こう見ずな経営者を据えるという意味ではありません。しかし、リスクをどう考えるかは文化と複雑な依存関係があるため、リスクの許容レベルを単純に変更することで解決しようとするやり方は避けたほうが良いと思います。では他にどのような方法でビジネス提案の品質を上げられるでしょうか。

## ビジネス提案の品質管理という考え方

日本の製造業の経営者が全力で取り組むべきなのは、ずばり質の高いビジネス提案が生まれる土壌を企業内に作ることです。

面白いことに、日本の製造業は製品の品質を高めることにかけては世界一だと思いますが、ビジネス提案の品質を高めることに成功したという話は、あまり聞かないように思います。よくあるケースとしては、社内でビジネス提案を募集して様々なワークショップを行い、コンサルタントや外部講師を招いても、出てきた提案は今一つ……。しかし、大勢の社員が懸命に提案に取り組んだことを考えると無下に否定もできず、提案のその後の扱いに困るというものです。なぜ製品の品質を高めるのと同じように、ビジネス提案の品質を高めることができないのでしょうか。

製品の品質を高める時には、まず徹底的な品質の原因分析が行われます。同様のことをビジネス提案プロセスの「品質」に対して実行しようとすれば、今一つの出来であった提案に対して、その原因を徹底的に考えなければなりません。この原因追究が中立的な立場で行われれば良いのですが、実際にはビジネス提案の提案者や協力者、また彼らのスポンサー（例えば役員）に、個人としての提案の失敗を突き付けてしまいます。さらに日本の文化として、何らかの失敗を指摘されると、それを個人的に捉えてしまうという厄介な傾向があります。失敗の原因をあれこれ追究されると、責任感の強い日本人はそれを自分への攻撃と考えてしまい、自己防衛反応を強く起こしがちです。その結果、原因特定の議論が攻撃側と守備側に分かれてしまい、個人的に勝った負けたのゼロサムゲームになってしまうことが多いのです。提案者への攻撃は本意ではありませんから、原因追及をプラスサムゲームにつなげるために、経営者は信頼できる部下とともに秘密裏に分析を行うか、もしくは提案が行われる前にビジネス提案品質を上げるためのガイダンスを定めていく必要があります。本章では後者のビジネス提案者への事前のガイダンスのアプローチについて述べていこうと思います。

## 4つのトラップ

ビジネス提案の出来栄えがパッとしない原因は企業によって様々で、定式化するのは難しいと思われますが、筆者の経験からビジネス提案の陥りやすい失敗のパターンを4つご紹介したいと思います。

パターン1の例は、前章でも例で挙げた「一人で指す将棋」です。マーケティング調査を実行してポテンシャルのある市場規模や伸長率を調べ、その最大のところを攻めるというような提案です。現実的にはそのような市場は、たいていの場合レッドオーシャンですが、往々にして提案の中にレッドオーシャンへの対策に関する説明が欠落しています。そもそもこの手の提案がなされる場合は、提案者が「レッドオーシャン」「ブルーオーシャン」

の概念を持っていない場合が多いようですから、事前にこのようなアンチパターンを社内教育しておくといいと思います。

世の中にはＳＷＯＴやＰＥＳＴの他にも様々な市場分析手段が存在し、それらを説明した書籍も数多く出版されています。これらの分析手段は学んでいて楽しいですし、実際に企業の置かれた状況（社内外）の把握には効果があります。唯一の欠点は、競合企業も同様のＳＷＯＴ分析やＰＥＳＴ分析等を用いていることです。同じ市場に対しての同じ分析方法ですから、ほとんど同じ結論に達します。つまり、原理的には最初に結論にたどり着いた企業が先手を取ることになります。特にＳＷＯＴやＰＥＳＴ等の分析方法に簡単に項目が上げられるような市場は既に成熟した市場ですから、先駆者がいるレッドオーシャンだということです。このような市場分析に対して経営者が行うべきことは、その先駆者がなぜ最初に一番乗りできたのかを推測することです。理由としては、

Ⓐ **先駆者は、偶然その市場にいた**
Ⓑ **先駆者は、様々な市場を試して苦労の末にその市場にたどり着いた**
Ⓒ **あるいは、先駆者が先見の明を持って意図的に到達した**

のどれかになると思います。

「一人で指す将棋」の提案パターンを防ぐ1つの方法は、市場の先駆者になれるような提案にするよう、あらかじめ提案者に求めることです。とはいえ、Ⓐやⓑは偶然の要素や多くの試行錯誤が必要なため役に立ちません。実質的にはⒸを求めることになります。

言い換えると、Ⓒは自社だけが見つけ出せる市場ということになります。それは理想ですが、果たしてそのような市場を探し出す方法があるのかと疑問を持たれると思いますが、実際にあります。この点については後ほど紹介します。

パターン2の例は、その提案が莫大な投資（お金なり人なり）を前提としている場合です。例えば1000億円投資すれば2000億円の売り上げが得られます、といったような提案です。このような莫大な投資を前提とする提案は、必然的に卵・鶏問題に陥ります。つまり、大きな利益を上げるためには巨額投資が必要であり、一方、巨額投資をするためには大きな利益が必要というものです。

この卵・鶏問題に対する対処法としては、事前に、たとえどんなに良い提案であったとしても卵・鶏問題の発生する提案は拒絶すると、提案者にはっきり伝えることです。卵・

鶏問題はそのままでは解けない難問です。そういった提案を行う提案者は、おそらくその難問を経営者に解決してほしい（何とかお金を工面してほしい）と、意識的・無意識的に責任転嫁をしているのです。

このような莫大な投資で大きなリターンを得るという提案は、M&Aによるビジネス拡大時にも多く用いられます。M&Aでは売り上げをそのまま買うという側面があるため、ストレートな卵・鶏問題ではありませんが、一方でPMI（Post Merger Integration）がうまくいって売り上げのシナジー効果が見込めるという期待は通常買値に反映されますから、卵・鶏問題の一種となります。M&A提案の是非については本書のカバー範囲外のため割愛させていただきます。

パターン3の例は、技術的に不可能なことを含んでいる場合です。極端な例では、例えば無限にエネルギーを作り出す「永久機関」を開発すれば大きなビジネスになります、といった提案です。

実は最近になってこのパターンはよく見受けられるようになりました。それは「AIブーム」によるものです。例えば、何か新製品の画期的な機能のコアになる技術が、まだ地球上で開発も実証もされてもいない「ＡＩ」の場合です。特に第２章で紹介したカテゴリ２の将来予測ＡＩを含んだビジネス提案は、表面上は必ず魅力的な提案となります。これは提案内容自体が素晴らしいのではなく、提案に組み込まれた実在しない「将来予測ＡＩ」が素晴らしいということで、その派生効果によって提案全体の価値が上がったように見えているだけです。ところが第２章で述べた通り、カテゴリ２の将来予測ＡＩは一部の例外を除いて現在は実現不可能です。

本書をお読みになった方は、かなり正確にＡＩの嘘を見抜くことができるようになったのではないかと思います。つまり、第２章のカテゴリ１（画像・音響・言語等の処理用ＡＩ）を使ったような提案はかなりの確率で実現可能です。カテゴリ２のＡＩ（将来予測ＡＩ）が実現する可能性はまずありません。カテゴリ３（製造データ分析ＡＩ）とカテゴリ４（制御ＡＩ）はまだ発展途上ながらもチャンスはあるので、フィジビリティスタディ等で少額投資を行い、慎重に見極めるようにすれば良いでしょう。

このような技術的に不可能な提案が出てくる場合、その提案者に提案力がないというよりも、技術者に相談しようとする発想がない（非技術者による提案の場合）、あるいは技術力が無さすぎて実現度を確かめる考えに至らない（技術者による提案の場合）が真の原因です（あるいはもっと単純に、面倒だから技術的裏付けをさぼった可能性もあります）。

画期的な技術、特にＡＩや量子コンピュータといった、用途によって実現性が千差万別な技術を使う場合、その技術検証を提案の前提とするよう、あらかじめ提案者に伝えておくことで、技術的に実現不可能なキラキラした提案は避けることができます。

最後にご紹介するパターン４は、実は一番厄介かも知れません。提案自体が「小さい」、例えば、現在の業務の中の小さな改善提案というような場合です。

経営者からすると、この手の提案は見てがっかりすると思いますが、それは経営者と提案者の見えている景色の違いから来ます。これを防ぐためには、例えば提案には金額的なビジネス規模（売り上げ等）を必ず入れ、またその規模は○○円以上といった縛りを入れることになります。

こうしてビジネス提案の前提に規模（売り上げ等）の下限を設定すると、パターン１からパターン３の提案が多く発生します。ビジネス規模を上げるために楽なのがパターン１（レッドオーシャン市場をなぜか自社が独占できる前提）やパターン２（巨額投資での巨額リターン）、パターン３（実現不可能な技術でのビジネス提案）だからです。ですので、これらパターン１〜４への事前の対策はセットで行う必要があります。

品質の高いビジネス提案は、ビジネス規模の下限を設定してパターン４に陥らないようにした後で、パターン１〜３の安易なビジネス提案を封じた困難な状況の中から生まれてきます。懸念としては、パターン１〜４を封じてしまうと、今度は社内からの提案がほとんど出てこなくなることです。この事態を避けるために、あえて緩い基準での提案を許している企業も多いのではないでしょうか。もちろん人間関係への配慮も原因の１つとしてあるでしょう。しかし、そうした配慮は日本の製造業の強みを消してしまいます。

ここで思い出していただきたいのが、第５章で紹介した「グリット」という、日本の製造業に従事する人が持つ資質です。グリットとは「長期的目標に対する忍耐力と情熱」という定義で、イノベーションの源泉といわれています。このグリットが、日本の製造業が過去に大きな発展を遂げた際の最大のアドバンテージであったのは間違いありません。

## 4つの回避方法

グリットを持つ人材は、各企業に少なからず存在しています。こういった人材は極めて制限の強い条件の中でも、時間と裁量を与え適切にガイドすれば、きめ細かくて思慮深い、かつ実行可能な何らかのビジネス提案を作り上げます。それこそ、重用すべきビジネス提案となります。では、このようなビジネス提案を生む「グリット」を持つ人材が新しい提案に行き着くために、どのようにガイドすれば良いのでしょうか。

まずは、パターン1の「競合がSWOT／PEST分析を使っても見つけられない市場」をどうやって見つけ出すかです。これは「自社しか持ち得ない情報を使ったマーケット分析」です。極めて単純ですが、それ以外に方法はありません。統計等の外部から入手できる情報は競合も入手できるからです。筆者の経験上は、「自社しか持ち得ない有効な情報」というのは特別な秘密の情報（顧客情報等）ではなく、自社の強みの源泉に根差した情報でした。

この「自社の強み」は、どの製造業であっても探求し尽くされたと思われがちです。確かに以前はそうだったのだろうと思います。ところが、日本の製造業が全盛期であった頃の人材が会社を卒業し、その第2世代・第3世代の人材が会社の中核を担う現在では、自社の本当の強みを自らの体験を通して理解している人は極めて少ないのが実情です。自ら製品を開発し市場を開拓した第1世代の理解と、それを継承した第2・第3世代では、実は自社の強みの理解に大きな差があります。

1つ例を挙げます。ある時、「あなたの扱っている製品の強みは何だ」と、その製品の技術者に問い質したところ、その答えは「営業が素晴らしい」でした。製品自体の強みはないのかといくら聞いても、はっきりした回答は得られません。そこで、その製品の初期開発に参加した2つ上の世代に聞いたところ、「屋外に置いた時の温度安定性である」と明確な答えが返ってきたのです。屋外に置いた時の温度安定性については、特にその製品の業界で競うスペックとは考えられていないため、製品の仕様書には書かれていません。ですが、実際の使用用途としては決定的な意味を持つもので、販売初期のメンバーは強く意識していたようです。

これが「自社しか持ち得ない情報」の例です。特に重要とされず、次世代への継承もされておらず、対外的に広報もされていないというような、自社の強みに関する情報です。

これまで積み上げてきた情報＝資産を風塵に帰すことで、日本の製造業は海外の競合を凌駕する市場を見つけられなくなり、その結果、レッドオーシャンでコスト競争を行うしか戦う手立てが無くなります。

「自社しか持ち得ない情報」が永久に失われる前に、自社内での情報収集を行うべきです。質問はシンプルに「自社の強みは何だと考えますか」ですが、その答えを理解し深く掘り下げて聞き出すのは、商流なり技術なりを深く理解している人でなければできないでしょう。そのようなバックグラウンドを持つインタビュアーを探し、急いで情報を収集する必要があります。この情報により、初めてマーケット分析が日本の製造業の強みの上に成り立ち、他社とは異なるＳＷＯＴ等の分析ができるのです。

次にパターン２の卵・鶏問題を含む非現実的な資金・人を前提とする提案をどのように回避するかです。この問題の根源は提案者の起業家精神の欠落から来ています。つまり、資金というのは上司に頼めば湧いてくるもので、もしもらえなかったらその時は仕方がないという会社員的な考え方です。当然ながら起業家や経営者がこのような考え方をしていれば、即日会社は倒産となります。

提案者には、まず起業家としての資金調達の考え方を教育するべきです。そうすれば、卵・鶏問題のような脇の甘い提案は行われないでしょう。またこの起業家精神を提案者に埋め込むことは、次節で紹介する事業実現性の見極めの段階でも重要なファクターとなります。またこのような社内教育は将来の経営幹部候補の育成になるという副産物も期待できますが、重要なのはアイデアを持つ提案者本人が資金調達について学び、ビジネス提案と資金調達は一心同体で切り離すことができないという認識を持つことです。

このように、「自社しか持ち得ない情報」を使い、かつ卵・鶏問題のような初歩的な提案ミスを回避すると、グリットを持った社内人材は何らかの有効な提案を行うことができます。あるいはこのような提案は日本の製造業の国際競争力を高める差別化要素のために重要ですから、製造業に深い知見を持つ社外の人材の支援を得ながら提案プロセスを進めるのも良いと思います。いずれにせよ、実現可能性の無いような提案をいくら集めても無駄なため、数ではなくて質の、つまり製品品質を高める努力と同じように提案の品質を高めるような仕掛けや教育を実行するべきです。

3つ目のパターンである「実現不可能な技術」あるいは「存在しない技術」を利用した

提案を回避するための方法です。面白いことに、このパターンの提案は実に輝いたものになります。

例えば、「永久機関」を前提にした提案であれば、全人類の飢餓問題を解決することも、火星に移住することも可能です（つまりSDGs問題は過去のものとなります）。最近ではAIブームの影響で、人類がまだ手に入れられていない肝になる技術的部分を丸ごとAIに依存するような提案がよく見られるようになったのは、既に述べた通りです。

このような提案が行われる原因は、やはりその提案者の視野の狭さと考えるのが正しいと思います。例えば、「永久機関」に似たものを提案に組み込んだ場合、その提案者はエネルギー保存則や熱力学の第2法則といった原理を理解できていないわけです。もっと具体的な例でいえば、世の中にまだ存在しない、スーパーなAIを仮定した提案は、そもそもAIが何を見て何を判断しているのか（第1章のホットケーキの出来栄え問題を思い出してください）を理解できていない提案者によるものなのです。このような提案者には、もう少し技術の奥底を見る経験を積んでもらうしかありません。もし技術の経験を積む意欲が無いのであれば、技術以外の差別化要素、例えば商流構築等を差別化要素に切り替えた提案にすべきです。

ですが、日本の製造業において3つ目のパターンが何より深刻なのは、こういった技術的に実現できない提案が高く評価され、地に足のついた提案が却下されるという風土です。つまり、実現不可能なものを前提とした提案は大変有望で大きな提案に見え、一方で実現可能な技術を使った提案は、特に初期の生煮えの段階では非常に地味に見えるのです。従って、経営者による投資ジャッジでは、間違いなく前者が投資対象となるでしょう。これは結局のところ、投資を無駄にしていることになり、育つかも知れない芽を咲く前に摘んでしまうことになります。この問題は、日本の製造業では特に多く起きているようです。なぜなら日本の場合、投資には「まっとうな理由」が必要だからです。地味な提案は、経営視点からの投資に対する「まっとうな理由」をつけられません。一方で大きく見えて実現不可能なのが分かりにくい提案は、投資に「まっとうな理由」をつけることができます。ただし、技術的に実現可能なのか不可能なのかを経営者が判断するというのは当然無理な話です。この間違いが生まれる理由は、やはり今の日本の製造業の技術力の低下としかいいようがありません。ビジネス提案を担う中堅・若手世代の技術力の差が、ビジネス提案の品質の差に直結するという、とてもシンプルな結論となります。

日本の製造業を支えてきた有能な技術者は卒業の時期を迎えています。その下の世代は製品の「バージョンアップ」を継続してきた世代です。何か新しい技術を切り拓いた経験がほとんどない世代ともいえます。

きちんとした技術継承は、新しいビジネス提案に大きく影響すると考え、技術継承には投資を行うべきです。日本の製造業の場合は今のシニア世代に対し仕事に見合うだけの報酬を支払って、その人の持つすべての技術と経験を次の世代に残してほしいと、経営者自らお願いすることが必要に思えます。

シニア世代の給与は、その責任範囲や役割が縮小するのに伴い金額的に抑制されるケースが多く、それは正当なことだと思います。ですが、日本の製造業の差別化要素である技術継承は決して小さな役割ではありません。このような考え方が、今の日本の社会では薄いように感じます。技術継承の価値をきちんと評価し、正当な対価を払って次の世代につなぐべきです。

以上、ビジネス提案の「品質」を悪化させるいくつかの原因と、それを高める方法を述べてきました。一朝一夕では解決しないものもありますが、粘り強くビジネス提案の「品質改善」を行っていくべきです。日本の製造業には、それができるグリットがあります。

## ビジネス成功の確度を高める「計画」

さて、前節のいくつかのビジネス提案品質向上の施策が功を奏し、有望で大型のビジネス提案が見つかったとします。ここから事業化して黒字化を目指していくフェーズになります。とはいえ、計画段階で成功するように見えるビジネス提案でも、うまくいかない可能性が高いのも事実です。

これは日本に限らない一般的な現象です。しかし日本の製造業の場合は、うまくいきそうにない提案を否定するのにも「まっとうな理由」が必要という違いがあります。直感でうまくいかないだろうと思っていても、その直感を言葉で表現できなければ言い出しにくいものです。また、ひょっとしたらうまくいくかも知れない、自分は大成功の芽を摘もうとしているのかも知れないと悩みながら、様子を静観せざるを得ない経営者の方もいると思います。

このようなビジネスの事業化がうまくいくかどうか分からない状況で、最も行ってはいけないのは、提案が成功する確度の証明を納得いくまで要求することです。ビジネス提案における確度は必要ですが、それが１００％というようなビジネスは、たいていはコンプライアンス違反です（つまり倫理上、他社が手を出さない領域であるが故にブルーオーシャン）。ビジネス成功の確度の証明には常に限界があり、どこかで手打ちをしないといけません。また成功の確度の根拠を求めれば求めるほど現場は疲弊していきます。提案が承認された時には、担当者がすっかりやる気を失っていたというのは筆者自身も経験がありまず。つまり皮肉なことに、ビジネス提案の確度に１００％近い精度を求める行為は、潜在的にうまくいく提案すら１００％の確率で失敗させてしまう行為なのです。

欧米では、リーンスタートアップ（文献Ｏ）のような、ビジネス提案の確度の証明を段階的に行っていく手法が多く提案されています。「ビジネスは計画を練れば練るほど成功の確度が上がる」というのが幻想だというコンセンサスは、アジャイル開発手法のような考え方にもよく表れています。

そういう欧米の手法を日本が取り入れようとする場合、非常によくある誤解がありま す。それは「ならば計画は重要ではない（あるいは不要）」という１８０度逆方向という極端な方向転換です。これは完全な間違いです。大変奇妙に思われるかも知れませんが、欧米の手法であっても計画そのものは大切なのです。

これは次の言葉に端的に表れています。「計画は重要ではない。しかし計画することは重要だ（"Plans are of little importance, but planning is essential."）」（チャーチルの言葉）。この一見矛盾する文章は多くの著名人がよく引用しています。しかし日本の特に製造業に従事する方には、意味がまったく理解できない人もいるのではないでしょうか。

例えば、ソフトウェア開発でよく使われる手法であるアジャイル開発手法は、毎週計画を立てて計画書を作りますが（スプリントバックログ）、その計画書通りに進むことを目指さない（つまり毎週計画書をアップデートしていけばいい）という思想が根底にあります。一度しっかり考えて計画を立てていさえすれば、計画通りいかなかった場合でも迅速に計画変更ができるという原理を使って、突発事項や未知の問題が顕在化した時に素早く対応できることを目的とした開発手法です。しっかりした計画を立てるのは将来の計画変更に対して有効だからやるのであって、計画通り進めるためのものではない、とチャーチルの言葉を言い換えて良いでしょう。

なお、余談ですが、「計画を立てずに本能でソフトウェア開発を進める手法」は「カウボーイコーディング」という別の名前がついています。これは蔑称のニュアンスがあるといわれます。カウボーイコーディングはアジャイル開発とは区別すべきものです。しかしながら日本の場合、アジャイル開発は計画を重視しないという点だけが強調されて、アジャイル開発の名のもとに「カウボーイコーディング」が行われていたりします。

他方、計画を立てれば立てるほど確度が高くなる世界は確かに存在しており、例えば何か決まった手順で決まったことを行うような世界では、計画を練り込んでその確度を上げることは可能です。例えば「チーズバーガー」を量産する際は、作る時の手順を綿密に計算すればするほど素早く、品質の高いチーズバーガーを確実に作ることができるでしょう。しかしビジネス提案のような本質的に不確定要素が大きい場合は、チーズバーガーの世界観は通用しません。もちろん納品されたパン生地の大きさがちぐはぐというような、サプライチェーンが不安定な状況では、チーズバーガー作りも計画で確度を練り込むことができなくなります。計画を練り込んで品質等を上げることができるのは、あくまで安定した環境の場合だけです。ビジネス提案の場合、そもそも計画の確度を上げられない以上、その事業成功確度も計画段階では求められないのです。可能なことは、計画自体が計画変更に対して柔軟に追随できるところまで練り込まれているかどうかです。

## PoC死

話をビジネス提案の確度を上げる方法に戻します。

先ほど述べたリーンスタートアップの手法は、ビジネス提案の確度の証明を段階的に行うことで問題を解決するものです。これに倣い、日本の製造業でもPoC（Proof of Concept）によるビジネス検証を行い、事業実現性を見極めようとするケースが広まっています。

ここで、日本の製造業に多く起こる現象があります。それは〝PoC死〟です。PoC死は、PoCまではうまくいくものの、その後の事業化で失敗するケースをいいます。PoCは本来ビジネス提案の確度を証明するためのものであるのに、なぜ事業化で失敗するのでしょうか。

それは、日本の製造業が行うPoCの多くは技術検証を目的としているからです。技術検証とビジネス検証はまったく別ものですから、技術検証をビジネス検証代わりに使う場合にはPoC死が多く発生します。これは日本の製造業の歴史的な背景によるものと思われます。日本の製造業の全盛期は技術進歩が急速に進んだ時代で、新技術とそれが作る価値が等価でした。つまり、技術検証さえ成功すればビジネスに直結したということです。もちろん例外はあったと思いますが、他社が持たない圧倒的な最先端の技術を持っている状態では、このようなことが起こり得ます。例えば、Xeroxが数多くの特許で他社の参入を阻み、普通紙コピー機市場を独占していた時、そのコピー機につけるどんな新技術・新機能も市場は異を挟むことなく受け入れました。そのような独占市場でもない限り、技術検証をビジネス検証の代わりに使うことはできません。

PoC死のもう1つ別の理由として、「仲間内PoC」とでも呼ぶような、PoCの成果を実体よりもプラスに評価することが起こります。

PoCは新しい取り組みを試す場合に用いられることが多く、その参加者には成功への強いモチベーションが発生します。思い入れが膨らむため、その評価段階において意識的あるいは無意識に事業化のジャッジが甘くなるという現象です。思い当たる経営者の方も多いのではないでしょうか。

ではどのようにしてPoCによるビジネス検証の精度を上げれば良いでしょうか。製品なりサービスなりがビジネスとして成功するか否かは、その価値がマネタイズできるものかどうかの検証に尽きます。もしもPoCが有償であればその額によって製品・サービス価値を測定できそうなものですが、通常ＰｏＣは実験の要素が強く、想定された価値の見極めが難しいため、無償に近い形がほとんどです。従って、通常のＰｏＣでその実質価値を測ることは至難です。実験に協力していただけるエンドユーザーも、ＰｏＣ段階に大きな額の投資をするのはまれだと思います。

## サブスクリプションと成功確度

ＰｏＣによって価値を正確に測る方法が１つあります。製品・サービスをサブスクリプション形式のシステムに設計してＰｏＣを実施する方法です。サブスクリプション形式のシステムとは、サービス（ソフトウェア）であればクラウドのＳａａＳプラットフォームを利用し、製品（ハードウェア）であればレンタルを利用するものです。ハードウェアとソフトウェアの組み合わせ型ＰｏＣでは、クラウドとレンタルを併用します。サブスクリプションによるＰｏＣでは、最初の半年なり１年を無償期間としてクラウドを開放し、またレンタルによって機器を無償貸与し、ＰｏＣを進めます。そして次の期間には有償に切り替え想定価格を設定します。その際の継続率 × サブスクリプション契約単価で、PoC製品・サービスの正確なエンドユーザー価値を測定することができます。

本当に価値のあるものであれば、PoCユーザーは継続を希望するでしょうし、お付き合いによるPoCであれば、金銭のやり取りが発生する時点で終了となるでしょう。想定価値が高すぎる等の知見も得ることができ、製品・サービスの実際の価値がどれくらいなのかが予想できます。

こういった厳密な価値測定は、PoC当事者にとってはなかなか厳しいものです。しかし実施者にとって、シビアな価値測定が事業化の基準となると最初から分かっていれば、生半可な企画は出せず、やる気のある企画のみが提案されるでしょう。一方、事業化を判断する側からすれば、顧客が対価を払ったという事実は、説得力のある判断材料としてはこれ以上のものはありません。

PoCをサブスクリプション型で行う利点は他にもあります。まずPoCに参加するエンドユーザー側も、少なからずの人がPoCを成功させたいとの思いを持っているはずです。そのような参加者には、製品・サービスと対価に関しての真剣なアイデアや提案が期待できます。これは、馴れ合いによる甘い評価を防ぐだけでなく、顧客を強く意識した真の価値作りに大きく貢献します。

現在の世界の製造業のビジネスモデルはモノ売りからコト売りに大きく変化しているのはご存じの通りです。最初からコト売りに対応しやすいサブスクリプションをベースにしたＰｏＣ設計を行うことは、プラスに働く効果は大きいと思われます。以上が、ビジネス提案の確度を上げるテクニカルな方法です。

## 起業家精神の欠如

次にＰｏＣを行う際のマインドセットの問題を取り上げます。新製品や新サービスを立ち上げようとする企画・技術の現場メンバーと経営にはバックグラウンド知識のギャップがあります。たとえ将来性のある良い製品やサービスだとしても、それを実際の事業として立ち上げるためには経営の視点が必要です。それがないと、単に学生グループが作った周囲の興味を引くだけの製品・サービスで終わってしまいます。ＰｏＣを事業に引き上げるためには、経営のセンスを持った有識者や経験者が、ＰｏＣ当事者をビジネスの世界につなぐ必要があります。

そもそも、新製品や新サービスのビジネス提案を行うチームには、否が応でも起業家精神が求められます。企業のビジネス提案では、役員を提案チームのスポンサーに指名する等して、この点を補うことが行われます。経験豊富な役員が企画・技術のスポンサリングをすることは確かに有効です。ですが、いくつか問題もあります。1つは、その役員がビジネス提案を自分のミッションとして受け取ると、企画・技術の専門家からなるビジネス提案チームはその役員についていくという構図になってしまうということです。すると、様々な困難が発生した時に、チームは役員（スポンサー）に頼ってしまい、頼られた役員は自らの経験や人脈を使って困難を解決しようとします。しかし、それではチームの起業家精神の醸成には逆効果です。また、スポンサーである役員がチームに自力解決を促すケースでは、チームの経験不足が前面に出てしまい、チームメンバーも「こんなこと（新製品・新サービスの実装以外のところ）をやるとは思っていなかった」と、新事業への意欲が薄れていきます。ビジネス提案をするチームは、「ビジネス提案をする」にとどまらず根底に「起業する」という強い動機を持っていなければ、事業化までの様々な困難を切り抜けられません。

自分たちはビジネス提案まで行って、その後の事業化は別の部署に任せたいというマインドを持ったビジネス提案チームはよく見られます。つまりビジネス提案チームとビジネス事業化チームの2つのチームが存在するケースです。「役割分担」「餅は餅屋」という考え方で自然に見えますが、この方法はうまくいかないことが多いようです。事業化がうまくいきそうにない状態に陥った時、ビジネス提案チームはビジネス事業化チームの失敗を非難することができますし、またビジネス事業化チームはビジネス提案チームの提案の甘さを非難することになります。新事業の立ち上げを2つのチームに分断してしまうと、このような相互のもたれ合いが発生してしまいます。

これは、技術主導の新事業が多い日本の製造業に多く見られる現象です。技術者や企画者はその道のプロとして技術・企画に専念し、次々にビジネス提案を作っては事業化チームへ投げるのが最も効率的なリソースのアサインである、という主張は一見納得できます。一方で、そういったやり方がビジネス事業化につながらない原因になっているとすれば、何のための「効率的なリソースアサイン」なのか分からなくなってしまいます。

「餅は餅屋」が極めて有効なリソースアサインの方法であるというのは、流れ作業による作業効率化の系譜です。それぞれの役目の人は自分のプロフェッショナリズムを極限まで改善し、また作業を効率的に繰り返すことで、全体の効率改善が行えるという考え方です。日本に限らず製造現場はこのような方法で効率化に成功してきましたから、製造業全体がこういった哲学を持っていることは自然の流れといえます。一方で、ビジネス提案は「チーズバーガー」を作るのとはまったく異なります。何が正解か分からない、様々な困難が次々に発生してその場その場での計画変更と方針決定が繰り返される……。そういったビジネス提案と事業化においては、流れ作業の適用は悪手です。

ではどのようにしてビジネス提案から事業化までを結んでいくのが良いでしょうか？それは、新製品や新サービスのビジネス提案を行うチームは、たとえ個社として分離する計画はないとしても、その事業の世界での立ち位置や経営理念、資金調達の方法、そしてエンドユーザーに届けるための商流、他企業（あるいはこの場合、社内の他部署）とのパートナーシップ等を、最初の段階から個社として独立するトレーニングとして実施するというものです。あるいは個社として独立する知識を学ぶのに抵抗があるようであればビジネス提案は行えないとすることだと思います。

一方でこのような施策、つまり企画・技術だけでなく起業に関する幅広い知識と経験を人材に積ませるスキームを導入しようとしたが、それでもうまく人材が育たなかったという経営者の方も多いと思います。次節ではそのようなオールラウンドの人材が育ちにくい原因と対策を探っていきます。

### 1万時間での人材ローテーション

先に述べた、幅広い起業の視点をビジネス提案者に求める際に障害となるのは次の2つです。

**①技術者は技術部署に所属させ、ビジネス企画者は企画部署に所属させないと、育成に時間がかかる**

**②中途半端なサブテクニカル・サブビジネス人材が生まれる可能性の懸念**

①は結果として、例えば技術者が本格的にビジネスを学ぼうとすると時間が制限されます。学ぶことは時間をかけるということですが、時間が限られる中で、所属部署の上司は

当然、技術の仕事にフォーカスしてほしいと考えます。逆にビジネス企画の人材が技術を学ぼうとする時も同様です。①を受けて、現実には非常に少ない時間やカリキュラムでビジネス提案に必要な視点を学ぶことになるでしょう。

②が起こるのは、①の問題を解決しようとして部署の異動を頻繁に行った場合です。若い人をマルチプルな人材に育てようと、例えば3年ごとに異動させて技術部署とビジネス企画部署を経験させるようなケースです。もし3年という時間が短ければ、どちらの部署でも深い経験が得られず、結果サブテクニカル・サブビジネス人材が生まれてしまうことになります。

部署を意図的にローテーションする人事施策は日本の製造業でもよく行われており、有効な手段と考えられます。おそらく問題は、「いつ」ローテーションを実施するかです。ここで1つの考え方を示します。

実は、人が何かを「マスター」するまでの時間の目安が分かっています。それは1万時間です。詳細については（文献P）を参考にしてください。これを単純に1日8時間、1年250日勤務で計算すると約5年になります。一方、1日8時間連続して技術業務やビジネス企画に従事するのはまれですので、例えば控えめに1日4時間で計算すると約10年となります。

この5年、あるいは10年といった修業期間は果たして妥当でしょうか。私事で恐縮ですが、筆者は最初に就職した時点でいわゆるアマチュアプログラマーとしてプログラム（ゲーム等）を自由に書くスキルはありました。しかしプロのプログラマーは、製品としての品質保証だったり、将来のバージョンアップを考慮した設計だったり、バグの発生しにくいコーディングルールを深いレベルで身に付ける必要があります。これらに完全に自信がついたのは、8～10年目だったと思います。もちろんその間にプロジェクトマネージメントの仕事も行いましたので、フルタイムでプログラムに打ち込んできたわけではありません。プログラムのみの仕事に集中できたのであればもう少し期間は短かったかも知れませんが、目安10年弱というのは妥当に思えます。

またＡＩについても、筆者の場合、第1世代、第2世代のＡＩについては大学卒業時に概略を知っていましたし、数学的な知識・プログラム能力もありました。就職した後で筆者が初めて第3世代ＡＩを学び始め、少なくとも仕事、製造業に適用するＡＩに対して自信を持てるようになったのは、およそ5年後でした。ＡＩをいかにして学ぶかは第4章で述べましたが、まずは教科書レベルの勉強、次に社内での試作・実験、ＡＩ国際学会への参加、学術論文での勉強、実際の顧客の問題を解き、ＡＩアルゴリズムを自身で改良できるまでが必要でした。

プログラミング、ＡＩをマスターした時間の目安はどちらも自分自身の経験からくるもので、それを根拠とするのは大変恐縮ですが、どちらもだいたい1万時間というのは合っているように感じています。

筆者はプログラムとＡＩの２つの分野でプロとしての自信をつけたのち、ビジネスの世界に入っていったわけですが、この２つの技術をビジネスに結びつけることは、かなり深いレベルで行えていると思っています。つまり、単純な技術検証ではなく、それでビジネスを行うためにはどのような技術の研究開発・技術の応用が必要か（あるいはどのような研究開発・応用がビジネスにならないか、と言い換えてもいいと思います）ということが、だいぶ予測できるようになってきた感触を持っています。

この2例を使って、一体どのレベルまで技術を学べば、「ローテーション」が可能かという目安をまとめると次の表になります。

## 図25

| | プログラム | AI |
|---|---|---|
| 情報収集スピード | Web 等を通して、最新のプログラム技術を迅速に理解（斜め読み）できるレベル | ＡＩ国際学会に参加して有益な情報を一気に得られる知識レベル<br>学術論文を読み下せるレベル |
| お客様との関係の理解 | （プロとしての）品質保証の方法 | 実際のお客様の課題をＡＩで解決した経験<br>（50 案件程度） |
| 将来に目を向ける能力 | （ビジネス視点からの）将来のバージョンアップを考慮した設計 | ＡＩアルゴリズムを将来に向け自身で改良できる |
| テクニック面 | （アフターセールスコストを考慮した）バグの発生しにくいコーディングルール | 様々な種類のお客様案件をＡＩで解決し、ほぼパターンを経験し尽くした状態 |

図25（P228）のような表にしてみると、技術者に求められるローテーション可能時期の基準がおぼろげに見えてきます。

まず情報収集のスピードは、プロとしての重要なスキルとなります。一旦情報収集のスピードスキルを得れば、その後のローテーションで別の分野（例えばビジネス企画）に移ったとしても、その後の進化や変化を短時間で獲得できます。たとえ技術から離れたとしても時代遅れになることはありません。具体的にはWebや書籍の情報を、時間をかけてつぶさに読まなくとも、流し読みあるいはタイトルだけで有効・不要の判断ができるようなスキルと考えてください。経営者の方に分かりやすい例でいえば新聞やビジネス書籍等をさっと流し読みした時、重要部分だけが意識的に浮かび上がってくる経験です。こうした経験とスキルを持って、いわゆる情報収集に「慣れた」のは、いつ頃でしたでしょうか。この段階に到達すると、それが技術であれ経営であれ、情報収集のスピードが飛躍的に上がります。経験的には3年目頃からでしょうか。

次にお客様との関係の理解があると思われます。ビジネスである以上、お客様との何らかの関係、特にビジネス上の価値の「良い・悪い」をお客様と語る経験が必要です。技術者の中には、直接お客様と会う機会のない人もいると思いますが、例えばバグや欠陥等が発生する等の問題を収束させた複数の経験は、技術部署からビジネス企画・経営に移った際に必ず役に立ちます。この苦い経験なくビジネス企画にローテーションした人材は、お客様の感触を理解するのに困難を感じます。

３つ目は、将来に目を向ける能力・スキルです。現状の技術や状態を理解するだけでは不足で、現状から将来を思い描ける、あるいは自身で今後の拡張を思考できるスキルがローテーション前に必要です。これらのスキルをローテーション前に身に付けていないと、技術が未来に及ぼす影響が見えず、また未来の展開をうまく読むことができません。ビジネス企画・経営には、技術の未来視点が重要です。

そして表の最後にあるテクニック面は、プログラムを書き、ＡＩ案件を解決するスピードです。直接ローテーションとは関係ありませんが、これがなければ学習効果が上がりません。これらは目標というよりは技術の習熟の結果として得られるものです。余談ですが、優れた技術者はこのようなスピードの追求・鍛錬を自律的に行うもので、その一番の動機は自分が楽をしたいからですが、強力な動機となります。

この４つのポイントが技術によらず環境にもよらず適用可能とは思っていませんが、1つの目安として見ていただければ幸いです。このレベルに達するには、先述の1万時間

（5年～10年）が必要ということになります。

このような表が、ビジネス企画を学んでいる人についても存在していると良いのですが、残念ながら筆者では示すことができません。本章では、技術者がビジネス企画・経営へのローテーションが可能な時期とスキルについてのみ述べました。

まとめると、

ローテーションに適した時期：1万時間（5年～10年）

体得スキルの目安：

- 情報取得スピード
- お客様との関係の理解
- 現状の技術・状態を超えた将来に目を向ける能力・技術
- 経験スピードを上げるためのテクニック

なお、大学や大学院等で既に顧客接点を持つようなプロに近い技術経験がある人材では、大学での学習期間を1万時間に加算できるため、より短い期間でのローテーションが可能です。特にソフトウェアやクラウド商材のような、商流やカスタマーコンタクトが比較的シンプルなケースには適合すると考えられます。

このようにビジネス提案者に求める必要があります。それを解決するとすれば、前述のようなタイをビジネス提案の品質を上げるためには、企画・技術・経営という幅広い視点ムフレームでの人材ローテーションが有効と考えられます。技術を深く理解するには意外と時間がかかるというのが結論です。しかし、それよりも短い時間・目安以下のスキルの状態でローテーションを実行すると、サブテクニカルな状態となるでしょう。特に技術に立脚した日本の製造業では、サブテクニカルな人材からのビジネス提案は致命的ですので、それを防ぐという意味では大変重要だと思います。これは、日本の製造業の既存の技術レベルが非常に高いところからくる宿命のようなものです。

さて本章では、日本の製造業の国際競争力の源泉となる、新ビジネス提案の品質を上げるための施策と人材戦略を詳しく述べました。しかしながら、1万時間という壁は厚く、1年といった短期でのビジネス提案の質の向上が求められる場合も多いと思います。次章では、より短期のビジネス提案戦略を述べようと思います。

# 第7章

# 高速なビジネス提案・事業化・出口戦略

PLUS-SUM GAME

## ソフトウェア人材の高速ローテーション

前章では5年、10年といったスパンで考える人材ローテーションについて述べました。このような長期スパンで人材を育成し、ビジネス提案者のパイプラインに乗せていくのは、日本の製造業のコア技術をもとにした持続的で良質なビジネス提案を実現する上では欠かせないものです。

一方で、例えばクラウド技術、ブロックチェーン、AIといった新しい知見を補完技術として利用し、付加価値をつける成長戦略を取る場合は少し事情が異なります。質の良い技術提案のために長期的な人事ローテーションを行っていては、技術そのものが古くなってしまいます。従って、このような新技術を利用するためには急場のアプローチが必要です。人材ローテーションでは対応できないこのような状況では、どのようなアプローチが可能でしょうか。

技術の進化が急速に進む領域、つまり1年単位で新しい技術が次々に生まれる領域は主にソフトウェア関係であり、そこをうまく利用します。

ハードウェア製品の場合、昔は真空管テレビの箱の中を覗きさえすれば、テレビ技術者であれば瞬時に中身を理解し、修理を行うことができました。ところが近年は、ほとんどのノウハウがICチップ化されており、筐体を開けてもまったく手出しができない状態です。中身を1つずつ取り出して吟味しても、核となる知見を得られる可能性はほとんどありません。また金属筐体のような製造技術も、設計図等が公開されていない状況下でその内容を知るのは難しいでしょう。一方、ソフトウェアにはオープンソースという文化があります。驚くことに、良質でトップクラスのプログラムがインターネットで公開されています。つまり、能力さえあれば、「箱を開けてプロの知見を得る」ことができるということです。第2章他でも述べましたが、ソフトウェアというのは修学の期間でも本格的な技術取得が可能です。

また、学生が技術習得に必要な諸道具の入手性を考えると、やはりソフトウェアに分があります。つまりパソコンが1つあれば、それだけで開発環境が整います。金属加工等は製造に大掛かりな設備が必要なため、気軽に試してみることはできません。また電子回路等の技術習得にも、様々な道具や機器を揃える苦労があります。

学生が技術を習得するという点において、「箱を開けてプロの知見を得られる」と「開発環境を容易に（安価に）整えられる」ということの2つの点で、ソフトウェア開発は群を抜いています。大学や大学院を卒業したばかりでも、前章で述べた「物事をマスターするための1万時間の壁」を突破されている人も多く、学生時代のアルバイトで本格的な商用ソフトウェア開発に携わった実践経験のある人もいると思います。

つまり、ソフトウェア開発の技術者は、日本の製造業に就職後すぐにビジネス提案や経営のトレーニングを始めても、前章で述べたサブテクニカル状態にならない可能性があるということです。

一方、大学時代に経営やビジネスを学んできた人は、即ビジネス提案レベルとはいかないと思います。これは学生本人の問題ではありません。理由は、学生時代にビジネスのプロとしての実務を実践・経験する環境が整っていないためです。もちろんベンチャー企業等を学生時代に立ち上げた経験を持つ人もいますが、そのビジネス規模が大きいことはまれだと思います。複数の部署を動かしてビジネスを作っていく、あるいは他社との複雑な協業を行う。ビジネスをそのようなスケールで体験している学生は皆無でしょう。大学で経営やビジネスを学んできた人材を最先端の技術部署に回すと、サブビジネスの人になってしまう懸念があります。まずはじっくりと、ビジネスや経営を学んでもらうのが良いと思います。

話をソフトウェア技術者に戻しますと、学生時代にソフトウェア開発の技術を身に付けて就職した人には、即戦力として実務に就いてもらうのと同時に、ビジネスマインドの醸成を開始することができます。

ビジネスに関する早期教育を行っている企業は少なくないと思いますが、筆者自身の経験からいって、そのトレーニング内容は当事者にとっては少し遠いものに感じてしまいます。つまり、会社の仕組みや経理財務を覚えるといったよくあるトレーニングは、実はプロ（ここでいうところの、プロレベルの水準を持ったソフトウェア開発技術者）にとっては、他人事のように聞こえてしまいがちです。というのは、1万時間の壁を突破しているソフトウェア開発者は自分の腕一本で食べていける（実際にはそんなに簡単なことではないのですが）自信があります。同時に部署のローテーションも少々意に沿わず、「この会社では自分の腕を生かし切れない」と感じてしまうと、そのまま転職する危険もあります。

## 起業を前提にしたビジネストレーニング

このような優秀なソフトウェア開発者にビジネスマインドを習得してもらうためには、起業をターゲットにしたビジネスを学んでもらうのが最適です。通常のビジネストレーニングと起業を目指したそれは、まったく異なるものとなります。財務諸表の見方等から始まるビジネストレーニングと異なり、起業向けのトレーニングは、自分の会社の世界での立ち位置、つまり企業理念を極めることから始まります。もちろん、まだどういう会社を作るかすら決まっていないので企業理念の決めようもないかも知れませんが、それでも何かをマスターした自信と経験がある人には、世界で立てる自分の位置が見えているはずです。そうであればどういう価値を社会に提供していくか、自分のなせることを真剣に考えられるでしょう。

起業ではなく、あくまで会社内でのビジネス提案を前提としたトレーニングでは、既に会社の企業理念や社会への価値提供は決まっていて、その方向に沿ってのトレーニングとなります。しかし、優秀なソフトウェア技術者には、あえて起業を目指したトレーニングを行うことをすすめます。プロとしての自信を持つ技術者にとって、この起業向けのトレーニングはことの他、魅力的に見えるに違いありません。ここで一旦、自らが起業すると仮定して、その会社で提供する製品・サービスを仮決めしてもらうのが良いでしょう。
起業トレーニングの一方で、間髪入れずにビジネスの難しさを教えていくことが重要になります。ビジネスは技術を持っているだけでは成り立ちません。まずは資金の調達と資金繰り、ランニングコスト、商流といったことを加味して、一体どれくらいの価格でどういう価値をどのように提供していくかを実際にスプレッドシートで書き下してもらいます。すると、その仮決めした製品・サービスがいかに貧弱なビジネス基盤にあるかということを、本人が改めて知ることになります。

ここで改めて、「君には強力なバックがついている」と耳元で囁き、企業に属していることのアドバンテージを伝えましょう。この本を読まれている経営者や現場の方が、自分たちが今まで築き上げてきた世界と戦える強み、あるいは提供できる商流（人脈）、そして資金について話すのです。これらは通常のベンチャー企業であればゼロから構築していく必要があり、スタートアップの最も厳しいところです。そこをサポートしてもらえるありがたみは、一度スプレッドシートを自分自身で作って厳しさを体感しないと、言葉でいくら説明されても経験のない人には理解できないものです。

このプロセスを踏むことにより、最先端の高い技術を持つ技術者と、地に足の着いた技術力と商流を持つ企業とのプラスサムゲームがスタートします。起業のトレーニングを受けて自力で会社を立ち上げられる知識を持っていたとしても、簡単に離職して独立しようとは思わないはずです。技術者と企業がともに大きな夢を追っていく体制が完成することになります。

## 社員のグリットを生かすための経営者・現場長のグリット

ここまで述べたようなプロセスがなぜ有効なのか、あるいはなぜ必要なのか。それは、現在の日本の置かれた状況による影響が大きいと思います。日本人は元来グリット（長期的な目標に対する忍耐力と情熱）を持った人が多いのですが、そのグリットが生きる前提は長期的な成長、つまり収入面もそうですが、夢を実現できるという環境や雰囲気です。今の日本はバブル期からジェットコースターで奈落に落ちて、その先に続いた氷河期を未だ抜け出せずにいます。様々な分野で海外勢に押される報道を毎日のように耳にすれば、若い人が長期的な夢を抱きづらいのも当然です。このような状況は日本人が持つ大切なグリットを殺してしまいます。

文献Qにグリットを計測する実験「マシュマロ・テスト」が紹介されています。簡単にいうと、親が子供の前にマシュマロ（あるいは子供が好きなお菓子等）を1つ置き、親は部屋から退出して子供を一人にしますが、その際に自分が戻ってくるまでマシュマロを食べなければ2個（あるいはそれ以上）のマシュマロをあげると約束します。グリットの強い子供は辛抱強く親の帰りを待ちますが、その時間の長さでグリットを測る実験です。文献Qによると無限に待ち続ける子供もいるようで、そういった子供のグリットは強いということです。

ただし、この実験は、親が約束を守ることが前提です。辛抱強く我慢をしても大きな利益が見えないのであれば、つまり信用のおけない知らない人がマシュマロを子供の前に置く等したら、この実験は成立しません。「マシュマロ・テスト」では、子供のグリットを計測するのと同時に親と子の信頼関係も試されます。

日本の製造業において、本来の日本人の強みであるグリットを生かすために経営者や現場長が社員に対して行うべきことは何でしょうか。将来を約束することは、さすがに何が起こるか分からないビジネスの世界ではできませんし、楽に将来を手に入れられるようなゴールと誤解されると却って逆効果となる可能性があります。日本の製造業経営者が優秀な社員に提供できる最良の信頼構築は、本人が腹落ちする長期目標が最も有効だと思います。それは「夢」と呼ぶべきものかも知れません。ありきたりではありますが、大きな夢を追っている時に、グリットという資質が最大限生かされるのです。

一方、経営者や現場長は、社員が常に長期目標あるいは「夢」を持ち続けられるように、メッセージを工夫し発信し続けなければなりません。もちろんそれは売り上げという数字の目標ではありません（それは経営者の夢であって、社員の夢ではありません）。社員個人個人の長期目標を、長期間腹落ちさせ続けることは大変な努力が必要です。ですが、これは同時に経営者や現場長の持つグリットが試されているわけです。人材を育て、品質の高いビジネス提案を集め、雇用を守り会社を発展させていくという夢が現実のものとなるかどうかは、経営者・現場長のグリットにかかっていると私は考えています。

## ビジネス提案から事業化に向けて

前章と本章で述べた、品質の良いビジネス提案を行うためのプロセスをまとめます。

●社内のビジネス提案の質を下げてしまう4つのパターンがあり、これらを回避するための事前の対策について

パターン1　レッドオーシャン市場をなぜか自社が独占できる前提

パターン2　巨額投資での巨額リターン

パターン3　実現不可能な技術でのビジネス提案

パターン4　小さな提案

●PoC死を防ぐための事業化の見極め方法として、サブスクリプション型のPoCを提案

●ビジネス提案時の起業家精神のマインドセット醸成のため、社内人材の中長期的なローテーションのタイミング（1万時間の壁）、そしてソフトウェア分野のような足が早い技術に特化した短期のマインドセット醸成

これらを1つの図（図26 P２４５）にまとめるのに加え、最後にビジネス提案のイグジットプランについて本節で補足します。

まず事業化については図26のような3つのフェーズが存在します。

最初のインキュベーションフェーズでは事業コンセプトを確立し、仮定としての収支計算を成立させます。そしてプロトタイプやPoCを行っていきますが、ここでの懸念点はビジネス提案者の起業家精神の弱さです。この部分を本章で述べたような、起業のためのトレーニングによって補う必要があります。

**起業を目指したトレーニングメニュー例**

**①世界での会社の立ち位置、企業理念の草案立案**
**②会社創設のための資金調達方法の理解**
**③ランニングコストの種類と資本の関係の理解**
**④商流の種類と理解等**

## 図26

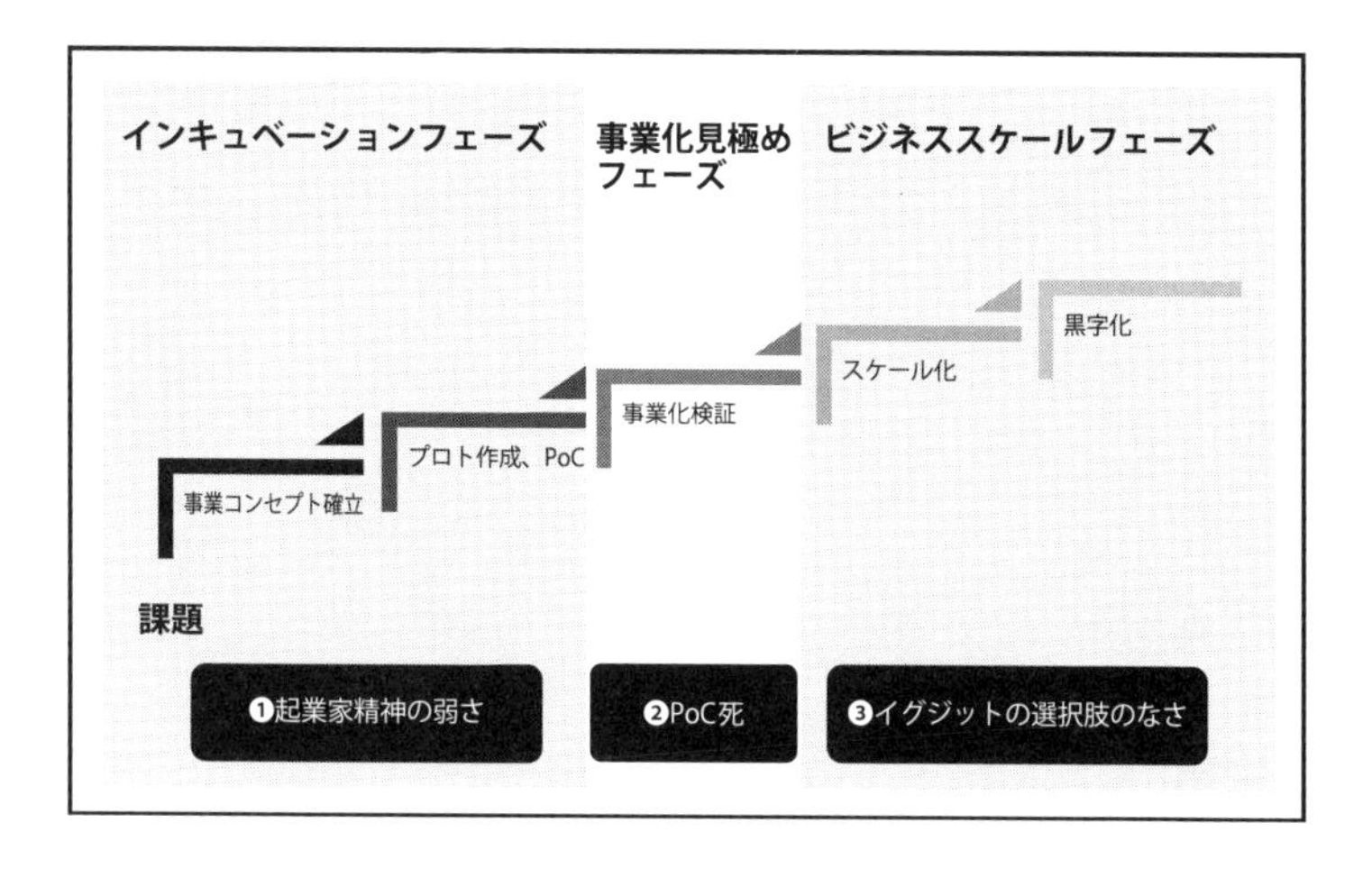

インキュベーションフェーズ
事業化見極めフェーズ
ビジネススケールフェーズ
黒字化
スケール化
事業化検証
プロト作成、PoC
事業コンセプト確立
課題
❶起業家精神の弱さ
❷PoC死
❸イグジットの選択肢のなさ

次に事業化見極めフェーズですが、ここはPoC死を防ぐために、前章で述べたサブスクリプションをベースとした価値の検証を行うことになります。

実際に顧客とのお金のやり取りでリアルに計測された顧客価値はWillingness To Pay（WTP／文献L）と呼ばれ、通常のPoCから推測された想定価値とは確度がまったく違うため、PoC死の可能性を減らすことになります（図27 P247）。

ここで実測された顧客価値をもとに値付けを検討し、ビジネス戦略に埋め込んでビジネス収支を予測します。この結果をもとに、事業化を行うか行わないかの決断をします。

## 出口計画

最後のビジネススケールフェーズに関係するのは商流です。母体となる企業の持つ商流に乗せて、お客様につながる道を作れるかどうか、つまり営業・マーケティング部隊が営業メニューの1つとして乗せられるかどうかを検討します。ここで重要なのは、既存商流

## 図27

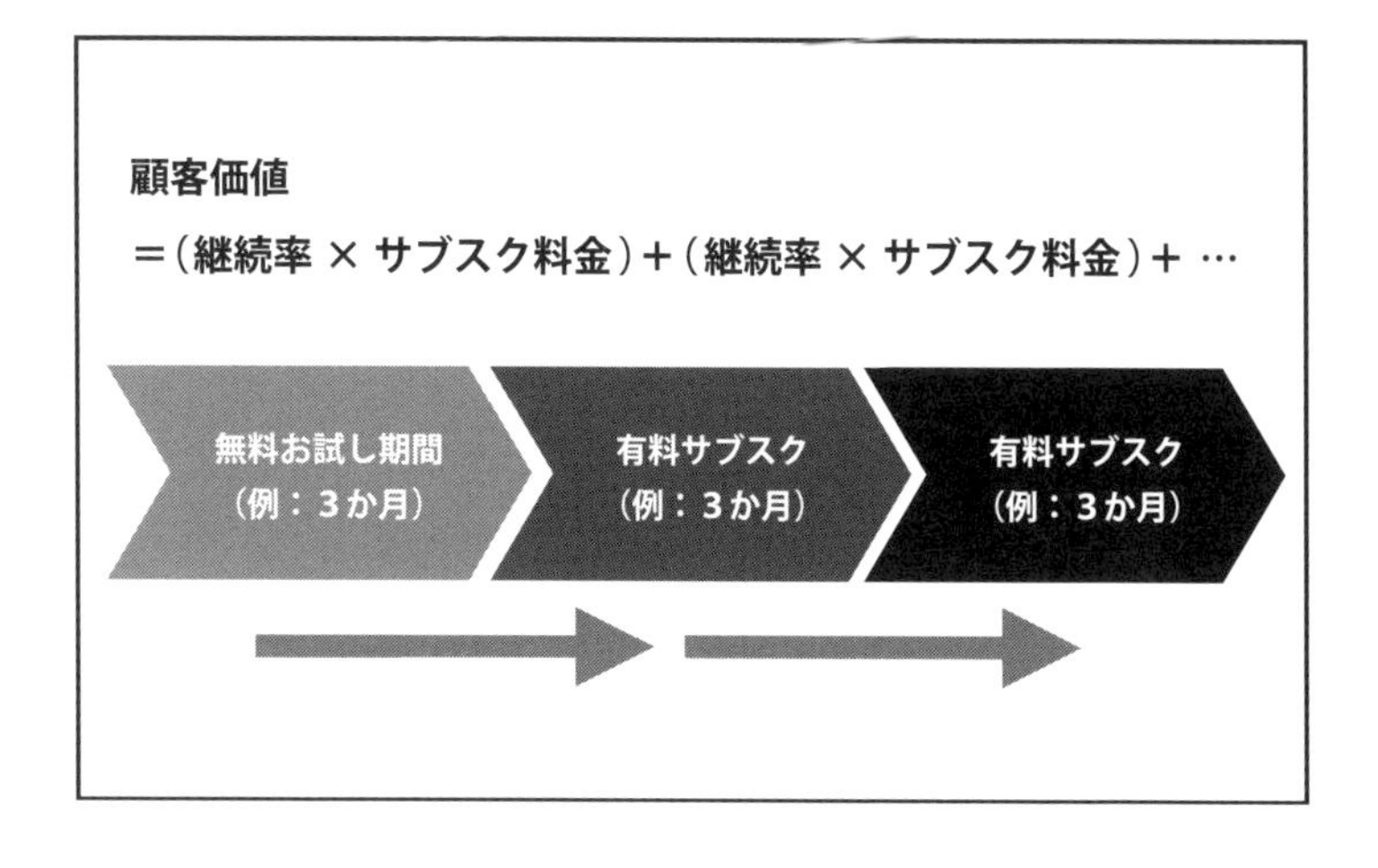
顧客価値
＝（継続率 × サブスク料金）＋（継続率 × サブスク料金）＋ …
無料お試し期間
（例：３か月）
有料サブスク
（例：３か月）
有料サブスク
（例：３か月）

の利用を唯一のイグジットプランとしないようにすることで、例えば次のような４つのイグジットが考えられます（図28　P２４９）。

通常は、自社の持つ商流に乗せることを前提にビジネス提案を考えます。最初の選択肢として新しい商材がうまく既存商流に合う場合には、そのアドバンテージを利用するため迷わずその選択をして社内事業化に向かうことになります。

一方、もしも既存の商流で販売することが難しければ、どんなに素晴らしい製品・サービスであってもビジネススケールの拡大がうまくいきません。このような商流のミスマッチによる失敗はかなりの確率で起こり得ます。

ここで事業がスケールしない原因の1つは、イグジットプランの選択肢の少なさです。例えば、既存商流の利用を唯一のイグジットプランとしてしまうと、製品しか扱ってこなかった営業や代理店商流に対して、ビジネスモデルのまったく異なる、例えばサブスクリプションベースのサービスを乗せることは簡単にはできません。無理に既存商流に乗せようとすると、スケールがうまくいかず失敗するでしょう。

これは、日本の製造業の強さの源泉が製品自体の価値にあった時代の名残です。製品単

## 図28

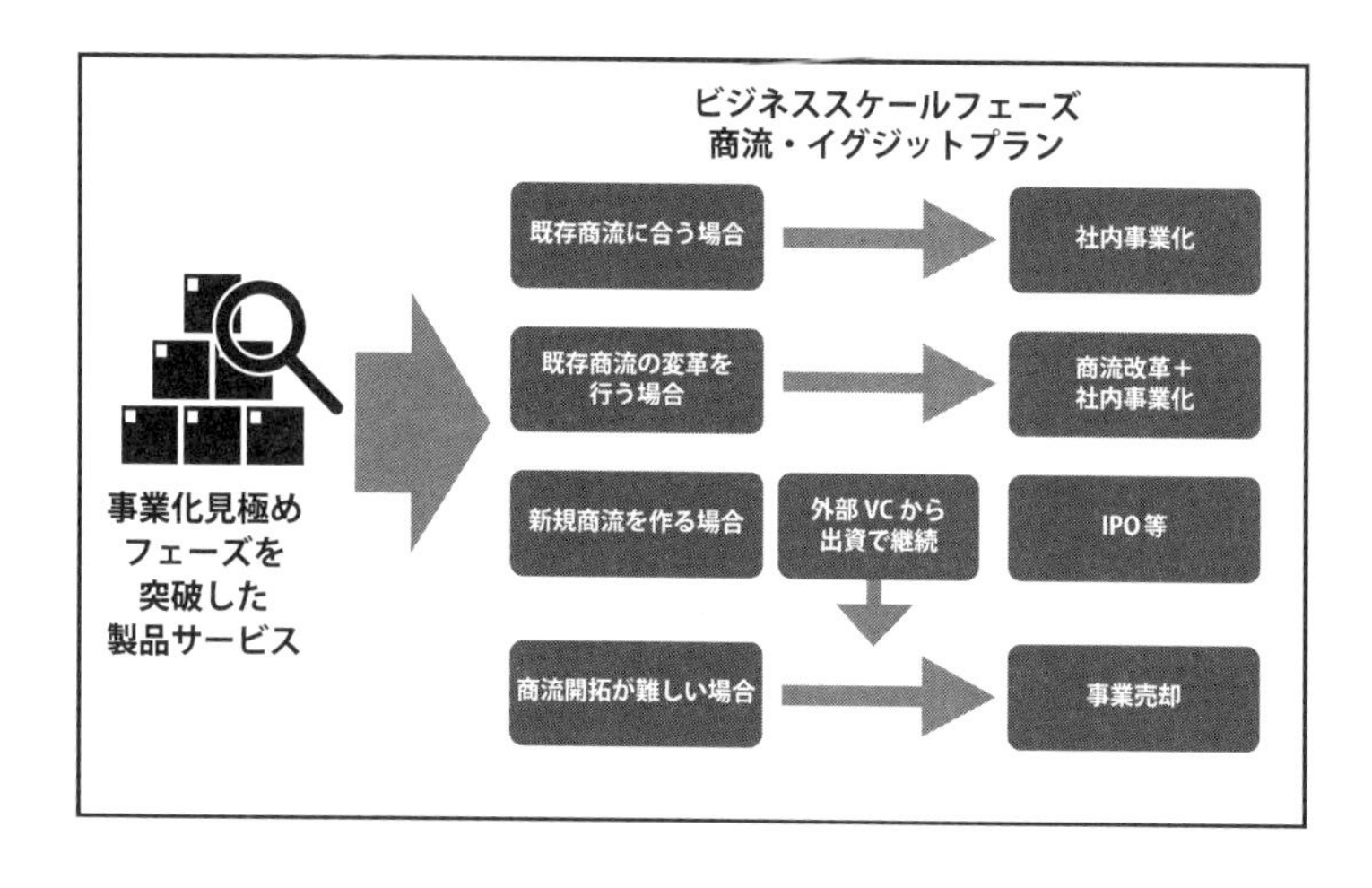

ビジネススケールフェーズ
商流・イグジットプラン
既存商流に合う場合
社内事業化
既存商流の変革を
行う場合
商流改革＋
社内事業化
事業化見極め
フェーズを
突破した
製品サービス
新規商流を作る場合
外部VCから
出資で継続
IPO等
商流開拓が難しい場合
事業売却

体をいかに効率よく販売するかが最適化されているような商流では、継続したカスタマーとのコンタクトが必至とされるサブスクリプション等のサービスはうまく販売網に乗りません。

とはいえ、製品中心の既存商流を、サービスを組み合わせたビジネスモデルに変革することに成功した企業はいくつもありますし、補完機能による新しいビジネスモデルを目指すためにも良いでしょう。これが2つ目のイグジットプランです。

ここまでは、ビジネス提案を行う際には通常検討されることですので、特に目新しいことはないと思います。本章で紹介したような起業家精神を担保に徹底的に教育を行って、かつPoC死を防ぐための正確な製品・サービス価値の測定を行うと、第3・第4のイグジットプランが可能となります。

3つ目のイグジットプランは、新事業を会社の外に出すというものです。外部のベンチャーキャピタル等から融資を募り、また自社からも資本協力を行って、会社の外に出して商流開拓を行います。

ここで成功のキーになるのは、ベンチャーキャピタルがどれくらいこの新事業の将来性を見込み融資をしてくれるか、また外部に飛び出した新会社が自力で商流を探す際の武器を持っているかどうかです。本書でご紹介した方法には2つの武器が存在しています。

1つ目は、創業者の起業家精神です。どのような新ビジネスであれ、結局のところ、創業者の強い思いや企業理念に将来性を感じられなければ、外部から見るとビジネスの成功は遠く感じられてしまいます。これを防ぐのがインキュベーション期間での起業家精神に関する教育でした。創業者となろうとする人の現実のビジネスへの正しい理解と、その上に立脚した強い思いは、外部資本を呼び込むための大きな要素となります。

2つ目の武器は、事業化を見極めるための説得力です。定性的な事業発展の説明、あるいは鉛筆をなめた事業売上計画は、ベンチャーキャピタルの担当者は毎日のように見ているもので、ほとんど説得力がありません。一方、本章で述べたようなサブスクリプションベースで顧客の支払う意志であるWTPを実際に計測した結果には大きな説得力があります。つまり、ビジネスとして「準備が整った」ことを示すことができますし、ではなぜ自分たちでビジネスを行わないのかといぶかしがられても、商流が異なるから外部に出したいのだという論理的な説明ができます。ベンチャーキャピタルが持つ経験やパートナー関係を使って商流を構成できそうだとなった場合、この3つ目のイグジットプランが実現します。

これら3つのイグジットプランがいずれもかなわない場合は、事業売却を行って投資資金を回収することになります。ここでの強みは、やはり提供する製品・サービスの顧客価値が正確に測定できているということです。うまくシナジーが生まれるような企業を事業売却のエージェントを使って探すことになります。この場合には、起業家精神を持った自社で育成した人材は出さずに、サブスクリプションの仕組みや製品製造手段を売却することになると思います。

以上をまとめますと図29（P253）になります。

インキュベーションからビジネススケールまでの全体を通じて会社の支援が必要ですが、これを自社でやるのは大変です。どこか遠い話のように見える経営者の方も多いのではないでしょうか。しかしこのようなプロセスは、欧米では回りやすいのです。

欧米では文化的な違いで先駆者を目指す人材が多いため、起業家精神を持つ若い人は日本に比べるとその割合が多く、ベンチャーキャピタルによる投資も盛んで、リスクテイク

## 図29

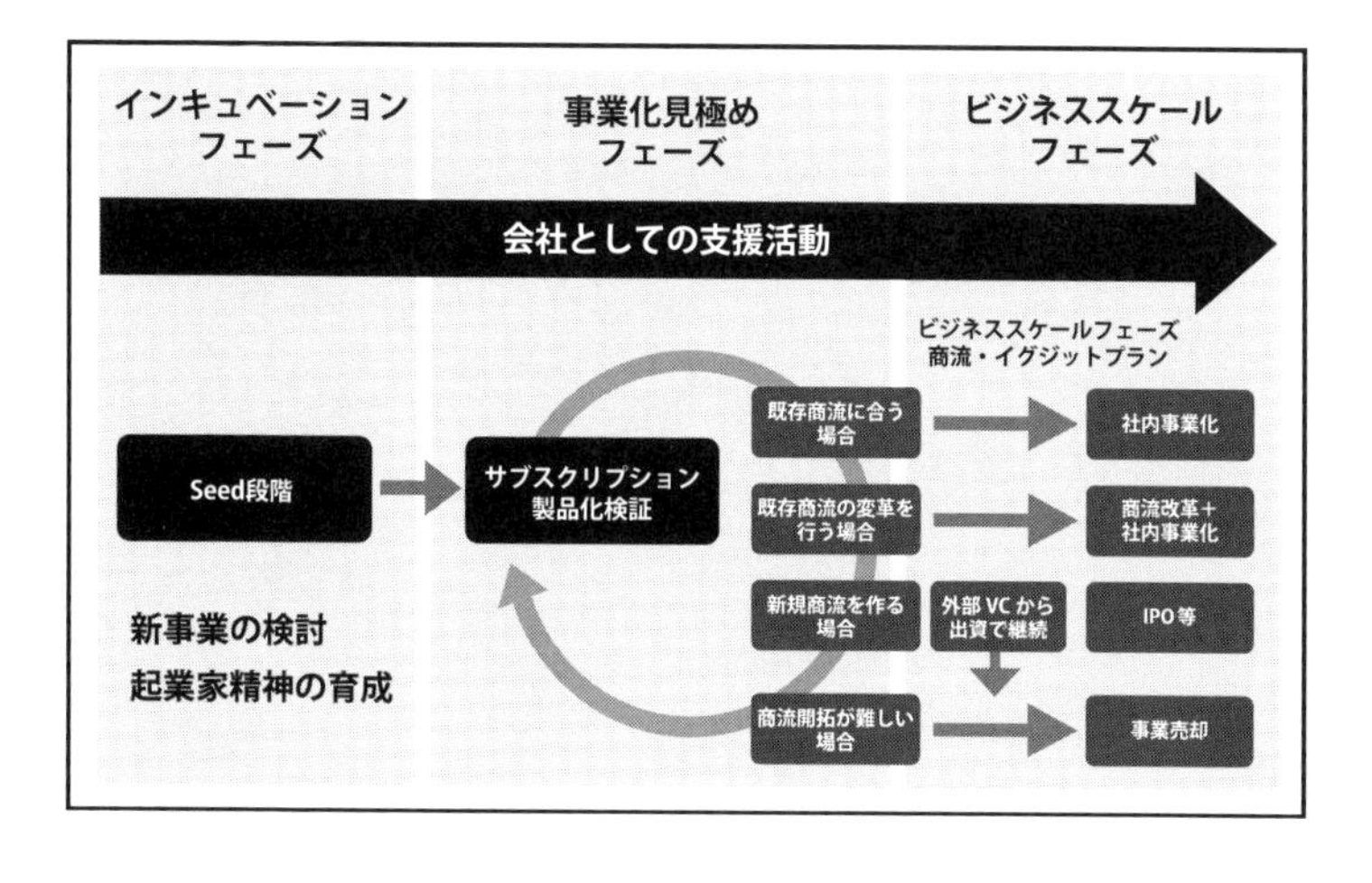
インキュベーション
フェーズ
事業化見極め
フェーズ
ビジネススケール
フェーズ
会社としての支援活動
ビジネススケールフェーズ
商流・イグジットプラン
Seed段階
サブスクリプション
製品化検証
既存商流に合う
場合
既存商流の変革を
行う場合
新規商流を作る
場合
商流開拓が難しい
場合
外部VCから
出資で継続
社内事業化
商流改革＋
社内事業化
IPO等
事業売却
新事業の検討
起業家精神の育成

を行う文化もあります。つまり、ウィンウィンというプラスサムゲームを目指しやすい環境があります。

一方日本では、ベンチャーキャピタルと起業家が互いに敵同士になってしまうケース、つまり、うまくいかない原因をお互いが責め合うゼロサムゲームに陥りやすいのではないでしょうか。前述のようなプラスサムゲームを回しにくいと感じることが、現在の日本の製造業の閉塞感を作っているように思えます。起業家精神教育、サブスクリプション製品化・検証、そしてイグジットプランのファシリテートを総合的に行うサービスを早急に準備し、日本の製造業の経営者の方々がプラスサムゲームを積極的に支援・利用できるような環境を準備することが、差別化要素による国際競争力の源泉を作り出すために必要だと思います。

## あとがき

昨今の自国第一主義がはびこる中で、戦後の復興を遂げた頃の日本は積極的に海外技術協力を進めました。技術革新によって世界が豊かな共存共栄を目指すという、海外の目から見ると「甘い」考えながら、それを本気で信じている特筆すべき国でした。結果論としては、海外の技術レベルが格段に上がり、一方で日本の製造業は苦しんでいます。当時の海外から見れば、日本の技術供与はうれしいが、だからといって恩を返すというようなことは純日本的でまったくビジネスライクではない考え方で、当然ながら世界に通じることはありませんでした。

もしもこの時、「プラスサムゲーム」という言葉を日本が世界に打ち出せていたならば、今の世界は変わっていたかも知れません。この言葉は、国家間での共存共栄をビジネスのロジックに落としたものといえるでしょう。ロジカルな海外の文化でも賛同が得られる概念です。そして当初日本が目指そうとしていた世界像とも一致します。

世界の国々との「プラスサムゲーム」は、おそらく日本にしか提唱できない共存共栄の1つの形です。それは日本の世界での新しい立ち位置であり、日本の若い世代の強い大義となり得ます。

若い世代には、大義をよりどころとして様々な困難をグリットにより突破していってほしいものです。しかし、現在の日本の不安定で将来像を描きにくい状況では、若者たちが真にやりたいことに手を伸ばすのは、彼ら彼女らにとって本当に怖いことなのです。経営層・工場長といったリーダーとなった私たちの世代は、次世代が怖がらずに力を発揮できる環境を整備する役目を持っている、それが本書の主張です。

日本の次世代に明るい未来を示すため本書が活用されれば、それは望外の幸せです。

本書はたくさんの方の協力のおかげで形となりました。特に古川陽太氏には日本の製造業の種々の問題の考え方を教えていただき、本書の根幹を貫くものとなりました。サウンズグッドカンパニーの船山さんには書籍出版のチャンスをいただき、また篠塚さん、中木さんには構成・読みやすい表現・装丁等でお世話になりました。最後に、執筆に集中できる時間をくれた妻と娘に感謝します。

アニメ映画「ジョゼと虎と魚たち」に背中を押され、エンディング「蒼のワルツ」を聞きながら

２０２３年３月20日　鹿子木宏明

L 「Better, Simpler Strategy: A Value-Based Guide to Exceptional Performance」
Felix Oberholzer-Gee著　Harvard Business Review Press
M 「Leading Change」　John P. Kotter著
（邦訳「企業変革力」　日経BP）
N 「How Children Succeed: Grit, Curiosity, and the Hidden Power of Character」
Paul Tough著　Mariner Books
（邦訳「成功する子 失敗する子 — 何が「その後の人生」を決めるのか」　英治出版）

**第6章　ビジネス提案の品質管理と成功確度**

O 「The Lean Startup: How Today's Entrepreneurs Use Continuous Innovation to Create Radically Successful Businesses」　Eric Ries著　Currency
（邦訳「リーン・スタートアップ　ムダのない起業プロセスでイノベーションを生みだす」日経BP）
P 「Outliers: The Story of Success」　Malcolm Gladwell著
Summareads Media LLC
（邦訳「天才! 成功する人々の法則」　講談社）

**第7章　高速なビジネス提案・事業家・出口戦略**

Q 「The Marshmallow Test: Understanding Self-control and How To Master It」
Walter Mischel著　Bantam Press
（邦訳「マシュマロ・テスト　成功する子、しない子」　早川書房）

# 参考文献

著者が参考にした文献はすべて原書です。ご参考までに日本語訳版があるものは記載します。
※章をまたぐ文献もあります


**第１章　AIの知能の本質と日本の製造業**

A 「Programming Collective Intelligence: Building Smart Web 2.0 Applications」
Toby Segaran著　O'Reilly Media　（邦訳「集合知プログラミング」　オライリー）

B 総務省「情報通信白書平成28年度版」
https://www.soumu.go.jp/johotsusintokei/whitepaper/ja/h28/html/nc142120.html

**第２章　どのAIがどのように日本の製造業に貢献するか**

C 「Thinking, Fast and Slow」Daniel Kahneman著　Farrar Straus & Giroux
（邦訳 「ファスト＆スロー（上・下）あなたの意思はどのように決まるか?」　早川書房）

D 「横河AI Product Solution Book」　下記よりダウンロード可能
https://www.yokogawa.co.jp/solutions/products-and-services/measurement/data-acquisition-products/ai-product-solutions/

**第３章　製造業AIによるシンギュラリティ**

E 「Creative Construction: The DNA of Sustained Innovation」
Gary P. Pisano著　PublicAffairs

F 「Drive: The Surprising Truth About What Motivates」
Daniel H. Pink著　Canongate Books
（邦訳 「モチベーション3.0 持続する「やる気!」をいかに引き出すか」　講談社）

G 「Tangible Autonomous Plant Operations」　Kenichi Takeda著
Y-NOW2021　(https://www.ynowlive.com)

**第４章　スクラム製造による日本の国際競争力**

H 「Flow: The Psychology of Optimal Experience」
Mihaly Csikszentmihalyi著　Harper Perennial Modern Classics
（邦訳 「フロー体験 喜びの現象学」　世界思想社）

I 「Corporate lobbying for environmental protection」 Felix Grey著
Journal of Environmental Economics and Management 90 (2018)

**第5章　経営と現場のプラスサムゲーム**

J 「Collective Genius: The Art and Practice of Leading Innovation」　Linda A. Hill著
Greg Brandeau著　Emily Truelove著
Kent Lineback 著　Harvard Business Review Press
（邦訳 「ハーバード流 逆転のリーダーシップ」　日本経済新聞出版）

K 「The Innovator's Dilemma: When New Technologies Cause Great Firms to Fail」
Clayton M. Christensen著　Harvard Business Review Press
（邦訳 「イノベーションのジレンマ　増補改訂版」　翔泳社）

# プラスサムゲーム

発行日　2023年4月20日　第1刷

Author　鹿子木宏明

発行　ディスカヴァービジネスパブリッシング

発売　株式会社ディスカヴァー・トゥエンティワン
〒102-0093　東京都千代田区平河町2-16-1 平河町森タワー11F
TEL　03-3237-8321（代表）03-3237-8345（営業）
FAX　03-3237-8323
https://d21.co.jp/

Publisher　谷口奈緒美

Producer　船山浩平（サウンズグッドカンパニー）

Editor　篠塚順　中木純（サウンズグッドカンパニー）

Marketing Solution Company
小田孝文　蛯原昇　飯田智樹　早水真吾　古矢薫　山中麻吏　佐藤昌幸　青木翔平　磯部隆　井筒浩　小田木もも
工藤奈津子　佐藤淳基　庄司知世　副島杏南　滝口景太郎　津野主揮　野村美空　野村美紀　廣内悠理
松ノ下直輝　南健一　八木眸　安永智洋　山田諭志　高原未来子　藤井かおり　藤井多穂子　井澤徳子　伊藤香
伊藤由美　小山怜那　葛目美枝子　鈴木洋子　畑野衣見　町田加奈子　宮崎陽子　青木聡子　新井英里　岩田絵美
大原花桜里　末永敦大　時田明子　時任炎　中谷夕香　長谷川かの子　服部剛

Digital Publishing Company
大山聡子　川島理　藤田浩芳　大竹朝子　中島俊平　小関勝則　千葉正幸　原典宏　青木涼馬　伊東佑真
榎本明日香　王廳　大﨑双葉　大田原恵美　坂田哲彦　佐藤サラ圭　志摩麻衣　杉田彰子　舘瑞恵　田山礼真
中西花　西川なつか　野﨑竜海　野中保奈美　橋本莉奈　林秀樹　星野悠果　牧野類　三谷祐一　宮田有利子
三輪真也　村尾純司　元木優子　安永姫菜　足立由実　小石亜季　中澤泰宏　森遊机　浅野目七重　石橋佐知子
蛯原華恵　千葉潤子

TECH Company
大星多聞　森谷真一　馮東平　宇賀神実　小野航平　林秀規　福田章平

Headquarters
塩川和真　井上竜之介　奥田千晶　久保裕子　田中亜紀　福永友紀　池田望　齋藤朋子　俵敬子　宮下祥子
丸山香織　阿知波淳平　近江花渚　仙田彩花

Proofreader　上宮田里紗（オフィス バンズ）
Book Designer・DTP　川崎和佳子
Printing　日経印刷株式会社

---



ISBN978-4-910286-36-5
PLUS-SUM GAME by KANOKOGI HIROAKI

最後までお読みいただき、ありがとうございます。
本書を通して、何か発見はありましたか？
ぜひ、感想をお聞かせください。

いただいた感想は、著者と編集者が拝読します。

また、ご感想をくださった方には、お得な特典をお届けします。